NUEVAS FRONTERAS

MAROVA, VIRIATO, 55 · MADRID-10
FONTANELLA, ESCORIAL, 50 · BARCELONA-12

José María González Ruiz nació en Sevilla en 1916. Realizó sus estudios teológicos y bíblicos en Roma. Ejerció diversos cargos pastorales en Sevilla hasta que en 1948 se trasladó a Málaga como canónigo lectoral (o teólogo) de aquella catedral. Posteriormente formó parte del grupo de estudiosos de ciencias eclesiásticas que se inauguró en la Iglesia española de Roma bajo la dirección de monseñor Maximino Romero de Lema, actual secretario de la Congregación del Clero en la Curia Romana.

Tiene publicados diversos comentarios y estudios bíblicos *(Cartas de la cautividad, Epístola de San Pablo a los Gálatas, Evangelio de Marcos,* etc.). Entre sus ensayos bíblico-teológicos sobresalen: *El cristianismo no es un humanismo* (traducido a seis idiomas), *Dios está en la base, Dios es gratuito, pero no superfluo, Pobreza evangélica y promoción humana.*

Desde esta postura teológico-bíblica ha mantenido constantes diálogos con las grandes corrientes contemporáneas del pensamiento y de la praxis, como es, sobre todo, el marxismo. Muchas de las conclusiones de sus ensayos fueron ampliamente utilizadas por los padres y peritos del Concilio Vaticano II e incorporadas a sus documentos, sobre todo a la «Constitución Gaudium et Spes» y al «Decreto sobre libertad religiosa».

Ediciones Marova ha publicado—además de *Cartas de la cautividad, Epístola de San Pablo a los Gálatas* y *Dios es gratuito, pero no superfluo*—*Marxismo y cristianismo frente al hombre nuevo, Creer a pesar de todo..., Comunidades de base* y *Creer es comprometerse* (en coedición esta última con Editorial Fontanella).

JOSE M.ª GONZALEZ RUIZ

LA TEOLOGIA
DE
ANTONIO MACHADO

La presente obra es coeditada por EDITO-
RIAL FONTANELLA, de Barcelona, y EDI-
CIONES MAROVA, de Madrid. Depósito
legal: M. 32960/1975. I.S.B.N.: 84-269-0317-7
(Ediciones Marova). I.S.B.N.: 84-244-0380-0
(Editorial Fontanella). © **José María González Ruiz**. Propiedad de la presente edi-
ción de EDICIONES MAROVA, S. L., Viriato, 55, Madrid-10 (España), 1975. Printed
in Spain. Impreso en España por **Gráficas
Color**, María Zayas, 15, Madrid, 1975 (27-75).

CONTENIDO

PROLOGO

La imagen que de Antonio Machado nos da en estas páginas José María González Ruiz, enfocándola desde un punto de vista teológico, coincide con la mía. La de estas páginas ha nacido de una lectura total del poeta, en su verso y su prosa; esto es, de su poesía y pensamiento vivos. La mía, además, avivada por su recuerdo personal, el de un amistoso diálogo de muchos años. Una y otra imagen coinciden, sobre todo, en que, tanto para el autor de este libro como para mí, era Antonio Machado, en su vida y en su obra, entera y verdaderamente, un hombre de fe: cosa que me parece que podemos interpretar del mismo modo si decimos un «hombre de Dios»; lo cual, si seguimos el sentido popular que le daría el poeta, no es lo mismo que un «alma de Dios»: tal vez sea lo contrario.

«Sólo así, a bulto y porque nos lo dice la fe, sabemos que tenemos alma», escribía Santa Teresa. «A bulto», o sea, a ciegas. «Y por-

11

que nos lo dice la fe», añade la santa. ¿Y qué es «lo que nos dice la fe»? Nos dice que tenemos alma. No nos dice que tengamos fe; ni qué cosa es tenerla. Pensamos nosotros que la fe no se tiene, sino que nos tiene; como la pena del cantarcillo popular. Como tampoco tenemos a Dios, sino que Dios nos tiene. Por eso decimos también popularmente que Dios nos tenga y que no nos deje de su mano. Y hasta es dicho popularísimo el de que con esa mano «Dios aprieta, pero no ahoga»: a lo que añadíamos nosotros que también afloja, pero no suelta. Si soltara, ese hombre «dejado de la mano de Dios» sería, según afirma nuestro amigo filosófico David García Bacca, precisamente eso: un filósofo. Un hombre «dejado de la mano de Dios» es la definición que nos da García Bacca del filósofo mismo: un hombre deshumanizado, un hombre imposible.

. Antonio Machado, hombre de Dios, hombre de fe, no fue un filósofo, fue un poeta; un hombre, diríamos, al que Dios no dejó nunca de su mano: apretándole sin ahogarle, aflojándole sin soltarle; de modo que su pensamiento y sentimiento se expresasen, se exprimiesen, diría Unamuno, en poesía. Pero es cosa terrible, dice la Escritura, estar en las manos de Dios vivo. Acierta por eso en estas páginas su autor al hacérnoslo ver desde un punto de vista teológico y no filosófico; rechazando el punto de vista de una «filosofía barata»—como dijo Unamuno—, con el que tanto se le ha comentado equivocadamente, a nuestro juicio.

Es un tratado o explanación crítica del pensamiento poético de Antonio Machado el que José María González Ruiz nos da en este libro: mucho más que una antología comentada, como él modestamente dice. Con el doble acierto de hacerlo brevemente, concisamente. Y con claridad, que diríamos meridiana, para no quitarle

12

a esa luminosa claridad misma todo su oscurísimo, tenebroso, tembloroso, misterio. Divide en cinco partes su contenido, como si les diera una perspectiva visual (teatral) a sus pasos o jornadas: Fe, Dios, Cristo, Cristianismo, Iglesia cristiana *(en la que el poeta diríamos que soñaba, como Bernanos, como «comunión de los santos»); un cristianismo de fraternidad humana, el de la divinidad del Cristo vivo, resucitado. Y cuando antepone a Dios su fe es para situarnos en el punto de vista teológico adecuado para verificarla; como hacía el poeta, a sabiendas de que es Dios quien nos da la fe y no lo contrario, como parecía creer Unamuno.*

Se aclara y profundiza el pensamiento de Antonio Machado comparándolo con el de Unamuno por esta diferencia entre ambos de la voluntariedad o involuntariedad (vieja querella teologal) de la fe revelada y reveladora de lo divino. Para Unamuno no se separa la fe de la creencia y su querencia: la fe es «querer creer». Para Antonio Machado, por el contrario, como se nos dice o sugiere en este libro, sería, más bien, no quererlo; un no querer creer; la fe es un don, una gracia divina que nos vence como nos vence el sueño («que se da no le pidiendo», diría el Divino Aldana), que se nos da mejor mientras menos esfuerzo voluntario ponemos para conseguirlo. Es don de Dios, es gracia divina a la que nuestra voluntad cede, vencida, como no importa a qué otro sentimiento de amor contrario a su querencia.

Parecería que entre la creencia y la fe se nos abre un insondable abismo que las separa. Lo contrario del descreimiento no es la fe, pensamos, sino la creencia: como de la incredulidad la credulidad. Se puede ser creyente o descreído, crédulo o incrédulo, sin que esto tenga nada que ver con la fe. Nada que ver, decimos, porque la fe es cosa de ver y no ceguera: de ver y no tocar («no me toquéis», dice el Cristo, y el apóstol incrédulo es quien mete sus dedos en la cicatriz de sus llagas para creerle). Este «mírame y no me toques» de la fe no es un creer lo que no vimos o no vemos: es, más bien, lo contrario, ver lo que no creemos o creíamos ver o querer ver. Es como un ver visiones (visión *admirable, maravillosa, la dijo el Dante). Es videncia o evidencia iluminativa y, por serlo, cegadora de la voluntad y la razón, heridas por su rayo revelador, como Pablo en el camino de Damasco.*

Antonio Machado, hombre de Dios, hombre de fe, nos dijo de sí mismo que era, «en el buen sentido de la palabra, bueno». Este buen sentido de la palabra bueno es el que traspasa o sobrepasa la dicotomía maniquea del bien y del mal; el fruto maldito del árbol de la ciencia; la moral satánica del orgullo o soberbia de la vida a la que de ese modo hiere de muerte. Hombre de buena fe llama a Antonio Machado otro poeta, su maestro, Rubén Darío. Pero, en realidad, la fe no puede ser ni buena ni mala: la que sí puede serlo es la voluntad. Cuando decimos buena o mala fe estamos diciendo buena o mala voluntad, y al decir que fue un hombre de buena fe Antonio Machado no decimos sino que lo era de buena voluntad; buena voluntad que nos da la fe y no al contrario. Por eso es el «acto de fe» una voluntaria afirmación de que la fe nos tiene, de que Dios no nos deja de su mano: es una experiencia viva de Dios como la de la verdad de la llama del fuego que nos ilumina y nos quema. De este modo nos dieron su testimonio poético Santa Catalina de Siena, Santa Teresa, San Juan de la Cruz..., maestros místicos y teologales de nuestro Antonio Machado. Como también lo fueron de su afirmación de la «nada» y del «tiempo»: cosa que en este libro nos expone y aclara admirablemente su autor.

Esta Teología de Antonio Machado *que nos ofrece José María González Ruiz me parece una excelente introducción a su lectura. La aconsejo, sobre todo, a los jóvenes. Y me atrevería a pedirle a su autor que le añadiese todavía otras dos, para completarla, una Teología de Unamuno y otra de Valle-Inclán. Sería muy importante para comprenderlos a los tres mejor. Por sus influencias recíprocas. Y además nos daría una visión más clara y justa del pensamiento y la poesía españolas en esa «edad de plata» de nuestra literatura, a caballo entre el siglo XIX y el XX: los cinco últimos lustros del XIX y los cinco primeros del XX; un medio siglo en que vivieron o convivieron, y en el que fueron, Valle-Inclán y Unamuno, como Antonio Machado, hombres de fe, hombres de Dios, hombres de buena voluntad.*

José Bergamín.

Madrid, octubre de 1975.

INTRODUCCION

Hablar de la «teología» de Antonio Machado pudiera parecer pretensioso o quizá inútil. Sin embargo, intentaré explicarme con la mayor serenidad y despegue posibles para justificar el trabajo que ofrezco al público en este centenario del gran poeta y pensador sevillano.

Cuando aquí hablo de «teología», lo estoy haciendo en un sentido estrictamente *confesional*, porque hay muchos que confunden «teología» con «ciencia de la religión». Esta última es una rama objetiva del saber humano, que abarca muchas zonas: histórica, sociológica, fenomenológica, antropológica. Los buenos tratadistas de ciencias de la religión no necesariamente son profesadores de la fe o las religiones que describen y estudian.

Por el contrario, «teología» significa la reflexión que el hombre hace a partir de su propia fe, creencia o experiencia religiosa. Para ello lógicamente es necesario que el «teólogo» tenga una fe o una experiencia religiosas. ¿La tuvo Antonio Machado?

S. Serrano Poncela (1) cree que «Machado nunca fue una conciencia religiosa profunda ni en él se dramatizó como pura vivencia la correlación entre el hombre y la divinidad... Esto no implica que en la poesía de Machado no se dé el tema de Dios. Se da, en efecto. Mas, conforme indiqué, viene proyectado desde fuera, como un problema de conocimiento, "sin temor ni temblor", como diría Kierkegaard».

A esta hipótesis de Serrano Poncela contesta, por su parte, Aurora de Albornoz (2) que en la poesía de Machado *nada* viene de fuera; *todo* surge de dentro. Es poeta—al menos en su mejor poesía—donde todo parte de vivencias. Y los poemas del Dios de Martín y Mairena pertenecen, sin duda, al mejor Machado. El que su concepto de Dios tenga mucho de intelectual no significa que no haya sido sentido antes el problema cordialmente.

Ahora bien—continúa Aurora de Albornoz—: si por «religioso» entendemos adscrito a una religión establecida, practicante de ella, ciertamente Antonio Machado no lo era. A pesar de haber sido bautizado, su hogar no puede decirse que fuese típicamente católico. Su padre, don Antonio Machado Alvarez, abogado, licenciado en letras, era el único hijo del catedrático de la Universidad don Antonio Machado Núñez. Eran los tiempos en que la monarquía de los Borbones acababa de restaurarse gracias al pronunciamien-

---

(1) *Antonio Machado, su mundo, su obra.* Ed. Losada, Buenos Aires, 1954.

(2) *La presencia de Miguel de Unamuno en Antonio Machado.* Ed. Gredos, Madrid, 1968, pág. 237.

to del general Martínez Campos. Cánovas del Castillo presidía el primer Gobierno del joven rey Alfonso XII, y su ministro de Fomento había extremado su rigor a favor de las corrientes de intolerancia, que habían sucedido a la crisis revolucionaria de 1868-1873. Un decreto, acompañado de una circular de dicho ministro, fechado el 26 de febrero de 1875, constituía una intervención partidista en la labor de los profesores universitarios y de hecho anulaba la libertad de cátedra. Numerosos profesores se negaron a acatar dichas disposiciones: entre ellos estaba don Antonio Machado Núñez.

No era de extrañar—dice M. Tuñón de Lara (3)—aquella actitud. Don Antonio había sido gobernador de Sevilla durante el Gobierno provisional de Prim, en 1869, y más tarde rector de aquella Universidad. Aquel hombre, que siendo joven abandonó empresas lucrativas en Guatemala para estudiar medicina en París, donde llegó a ser ayudante del sabio doctor Orfila, trocó luego la medicina por las ciencias naturales. Y su nombre figuró entre la pléyade de intelectuales de espíritu renovador que, siguiendo a Sanz del Río, hizo escuela en España a partir de 1865 con el nombre de «krausismo español». El doctor Machado Núñez fundó así, en unión de don Fernando de Castro—rector de la Universidad Central tras el triunfo de la revolución de septiembre de 1868—, *La Revista de Filosofía y Ciencias.*

Tenía nuestro poeta tan sólo quince meses cuando se fundó en Madrid, como réplica a la intransigencia docente oficial, la Institución Libre de Enseñanza, inspirada y creada por Giner de los Ríos, cuyo proyecto concibió en los días de la primavera de 1875, cuan-

---

(3) *Antonio Machado, poeta del pueblo.* Eḍ. Nova Terra, Barcelona, 1967, pág. 13.

21

do estaba preso en el castillo de Santa Catalina, de Cádiz. Por aquel entonces le fueron hechas a Giner proposiciones de fuente británica, encaminadas a crear una Universidad libre en Gibraltar. Pero se negó rotundamente, creyendo que su misión estaba dentro de su propio mundo.

Por fin, el 29 de octubre de 1876 se crea la Institución Libre de Enseñanza. Esta fecha es decisiva para Antonio Machado Ruiz, que por aquel entonces contaba con un año de edad. Allí será educado a partir de los ocho años, y el espíritu de la Institución contribuirá poderosamente a moldear el suyo propio. Allí aprendió el sentido de la tolerancia, el respeto al criterio ajeno, la estimación del trabajo en los primeros planos de la escala de valores.

Sin embargo, no hay que creer—observa Tuñón de Lara (4)— que la vida y la obra de Machado hay que interpretarlas sola y exclusivamente por las ideas recibidas en la «Institución», sobre todo en lo que se refiere a esa pedagogía «elitista» que tan ausente está de aquel hombre del pueblo que se llamó Antonio Machado Ruiz.

Como vemos, pues, la trayectoria religiosa de Machado no lo encuadraba en aquellos rígidos casilleros del «nacionalcatolicismo», del que todavía no hemos logrado sanar del todo después de catorce siglos. El pertenecía a un ambiente liberal donde la ficha religiosa no marcaba socialmente a la persona, pero donde, al mismo tiempo, había la suficiente libertad de espíritu para mirar de frente un fenómeno tan interesante como el cristianismo,

---

(4) *Ob. cit.,* pág. 16.

a pesar de los envases histórico-culturales dentro de los cuales se presentaba a la serena reflexión de nuestro poeta.

Era todo lo contrario de Miguel de Unamuno: éste era un vasco nacido y criado en el severo contorno de un catolicismo a ultranza. Así se explica el tono «agónico» de su problemática religiosa en contraste con la serenidad nativamente liberal de Machado. Y, además, no hay que olvidar la diferencia que a este respecto puede haber entre un vasco y un andaluz, ambos *practicantes* de su propia peculiaridad local...

I. FE

1. LA FE COMO ESPACIO PRIMORDIAL

Para comprender la teología machadiana tenemos que empezar por dejar bien sentado cuál era su punto de partida primordial e irrenunciable. Este era la fe o la creencia:

[Cuanto subsiste, si algo subsiste, tras el análisis exhaustivo o que pretende serlo, de la razón, nos descubre esa zona de lo fatal a que el hombre de algún modo presta su asentimiento. Es la zona de la creencia, luminosa u opaca—tan creencia es el sí como el no—, donde habría que buscar, según mi maestro, el imán de nuestra conducta] * (1).

---

* Los textos entre [ ] son párrafos literales tomados de las obras de Antonio Machado que se indican.

(1) *Consejos, sentencias y donaires de Juan de Mairena y de su maestro Abel Martín*, VI.º

En esta «zona de la creencia» donde, según Machado, se dan las batallas decisivas de la historia humana. Eso sí, no hay que confundir la fe o la creencia con [aquellos ídolos de nuestro pensamiento que procuramos poner a salvo de la crítica] y mucho menos con [las mentiras averiguadas que conservamos por motivos sentimentales o de utilidad política, social, etc.]. Se trata simplemente del [resultado, mejor diré, de los residuos, de los más profundos análisis de nuestra conciencia] (2).

Para llegar a este resultado puro hay que pasar [por una actividad escéptica honda y honradamente inquisitiva que todo hombre puede realizar—quién más, quién menos—a lo largo de la vida] (3). Y así resulta que [la buena fe, que no es la fe ingenua anterior a toda reflexión, ni mucho menos la de los pragmatistas, siempre hipócrita, es el resultado del escepticismo, de la franca y sincera rebusca de la verdad] (4).

Como vemos, la actitud humana de la consciencia para situarse en esa zona primordial de la fe es concretamente el *escepticismo*. ¿De qué se trata? En la terminología machadiana «escepticismo» es una palabra tremendamente positiva:

[El escepticismo, lejos de ser, como muchos creen, un afán de negarlo todo, es, por el contrario, el único medio de defender algunas cosas] (5).

------

(2) *Ibídem.*

(3) *Ibídem.*

(4) *Ibídem.*

(5) *Juan de Mairena. Sentencias, donaires, apuntes y recuerdos de un profesor apócrifo,* XII.

Más concretamente, el escepticismo es una postura de defensa contra el riesgo de la absolutización, cometido tan frecuentemente por el pensamiento humano:

[Ya os he dicho que el escepticismo pudiera no estar de moda, y para ese caso posible, y aun probable, yo os aconsejo también una posición escéptica. Se inventarán nuevos sistemas filosóficos en extremo ingeniosos, que vendrán, sobre todo, de Alemania, contra nosotros los escépticos o filósofos propiamente dichos. Porque el hombre es un animal extraño que necesita—según él—justificar su existencia con la posesión de alguna verdad absoluta, por modesto que sea lo absoluto de esta verdad. Contra esto, sobre todo, contra lo modesto absoluto, debéis estar absolutamente en guardia] (6).

Como es fácilmente deducible, esta postura escéptica se identifica de alguna manera con la vida, y Machado no lo niega en absoluto:

[Aprende a dudar, hijo, y acabarás dudando de tu propia duda. De esta manera premia Dios al escéptico y confunde al creyente] (7).

Ni que decir tiene que aquí el «creyente» es precisamente el que pretende tener *la posesión de un absoluto, por modesto que sea.*

Sin embargo, no se trata de la «duda metódica» en el sentido

---

(6) *Juan de Mairena...*, XVII.

(7) *Consejos, sentencias...*, I.º

cartesiano del término, ya que este tipo de duda encierra fraudulentamente en sí mismo una fe robusta no confesada:

[Claro es que la duda que yo os aconsejo no es la duda metódica a que aluden los filósofos, recordando a Descartes. Una duda metódica será siempre pura *contradictio in adjecto*, como un *círculo cuadrado*, un *metal de madera*, un *guardia de asalto*, etc. Porque él tiene un método o cree tenerlo, tiene o cree tener un camino que conduce a alguna verdad, que es precisamente lo necesario para no dudar. Cuando leáis la obra de Descartes, el mayor padre de la filosofía moderna, veréis cómo es la duda lo que no aparece por ninguna parte. Descartes es fe madura en la ciencia matemática, sin la cual es casi seguro que no habría nunca filosofado. Y en verdad que nadie ha pensado en colocar a Descartes entre los escépticos. Pero yo no os aconsejo la duda a la manera de los filósofos, ni siquiera de los escépticos propiamente dichos, sino la duda poética, que es duda humana, de hombre solitario y descaminado, entre caminos. Entre caminos que no conducen a ninguna parte] (8).

Como vemos, esta creencia machadiana no es puramente teológica, sino primordialmente antropológica: es la primera conciencia refleja del hombre honesto, del que no pretende engañarse a sí mismo:

[Todavía no hemos reparado en que la creencia plantea problemas independientes de la religión. Porque se puede creer o no creer en Dios, pero no menos se puede creer o

---

(8) *Consejos, sentencias...*, III.º

no creer en la realidad del éter, de los átomos, de la acción a distancia, en la idealidad o no idealidad del tiempo y del espacio y hasta, si me apuráis, en la existencia del queso manchego] (9).

Machado insistirá frecuentemente en esta primordialidad de la postura creyente y en la necesidad de ser honestos y no hacer pasar por la aduana de la convivencia humana productos «racionales» o «científicos» que lo son exclusiva o primordialmente de fe:

[Que Dios nos libre de los dioses apócrifos, en el sentido etimológico de la palabra: de los dioses ocultos, secretos, inconfesados. Porque estos han sido siempre los más crueles, y, sobre todo, los más perversos; ellos dictan los sacrificios que se ofrendan a los otros dioses, a los dioses de culto oficialmente reconocido] (10).

Sin embargo, no por ser «creencias» han de ser necesariamente antirracionales, ni mucho menos:

[No es necesario a la creencia la hostilidad del saber, o que solo pueda creerse en lo revelado por Dios contra los dictados de la razón humana; porque lo más frecuente es creer en lo racional, aunque no siempre por razones] (11).

Esta última formulación, típicamente machadiana, condensa el pensamiento de nuestro poeta en este aspecto de la creencia: esta

---

(9) *Consejos, sentencias...,* IX.º

(10) *Juan de Mairena...,* XXIV.

(11) *Consejos, sentencias...,* IX.º

se mueve *casi* (este «casi» es necesario para que la creencia no se disfrace de razón) siempre en el ámbito de la razón, aunque no sea precisamente por razones por lo que se crea. La paradoja llega a su colmo y a su consumación ineluctable.

Finalmente, Machado define lo que, según él, es lo más específicamente característico de una creencia, oponiéndola así a la opinión:

> [Lo que constituye una creencia verdadera es la casi imposibilidad de creer otra cosa, su hondo arraigo en nuestra conciencia. El *credo quia absurdum est*, atribuido a Tertuliano, contiene una verdad psicológica en que la creencia se atreve a desafiar a la razón] (12).

RESUMEN

Resumiendo este primer aspecto de la teología de Machado, podríamos decir:

1) El punto de partida de la *conciencia comprometida* del hombre se halla en la zona de la creencia.

2) La creencia emerge en la conciencia humana a través de un itinerario *escéptico*, y este escepticismo:

a) no es negativo, sino positivo;

––––––––––

(12) *Consejos, sentencias...*, IX.°

32

b) incluye de alguna manera una posición de duda;

c) pero esta duda no es metódica, ya que dejaría de serlo, sino «poética» (o creadora a campo través).

3) El ámbito de la creencia no se reduce al tema «religión», sino que los abarca todos, incluso el racional y el científico.

4) La creencia, no obstante, no es necesariamente antirracional, más bien todo lo contrario.

5) Lo específico de la creencia, frente a la opinión, es su firme arraigo psicológico.

2. FE EN DIOS

Después que hemos evidenciado lo que para Machado significa la creencia como punto de partida inicial para toda actividad de la consciencia ascendente del hombre, nos planteamos ahora el con-tenido teológico de esa creencia, ya que, efectivamente, el poeta sevillano insiste machaconamente en el hecho de que en el ámbito de su creencia aparecía Dios como algo esencial e insustituible. Más adelante veremos cómo se presenta este Dios ante la conciencia «creyente» de Machado.

Comenzamos por destacar la ironía burlona con que se enfrenta al planteamiento metafísico de la existencia de Dios. Para ello acude al célebre argumento ontológico, atribuido a San Anselmo de Canterbury, que describe a sus imaginados discípulos de esta manera tan llana y profunda:

[Permitid o, mejor, perdonad que os lo (el argumento ontológico) exponga brevemente. Y digo *perdonad*, porque, en nuestro tiempo, se puede hablar de la esencia del queso manchego, pero nunca de Dios, sin que se nos tache de pedantes. Dios es el ser insuperablemente perfecto—*ens perfectissimum*—a quien nada puede faltarle. Tiene, pues, que existir, porque si no existiera le faltaría una perfección: la existencia, para ser Dios. De·modo que un Dios inexistente, digamos mejor *no existente*, para evitar equívocos, sería un Dios que no llega a ser Dios. Y esto no se le ocurre ni al que asó la manteca] (13).

La primera objeción que pone al célebre argumento se inscribe en su sencilla filosofía perogrullesca, de la que se siente orgulloso expresamente:

[El argumento es aplastante. A vosotros, sin embargo, no os convence; porque vosotros pensáis, con el sentido común —entendámonos: el común sentir de nuestro tiempo—, que «si Dios existiera, sería, en efecto, el ser perfectísimo que pensamos de El; pero de ningún modo en el caso de no existir». Para vosotros queda por demostrar la existencia de Dios, porque pensáis que nada os autoriza a inferirla de la definición o esencia de Dios] (14).

Efectivamente, el célebre argumento no es de suyo convincente y [es muy posible que no haya convencido nunca a nadie, ni siquiera a San Anselmo, que, según se dice, lo inventó] (15).

---

(13) *Juan de Mairena...*, XIV.

(14) *Ibídem.*

(15) *Ibídem.*

Pero lo más importante es que la admisión o rehusamiento del argumento ontológico no se da desde una postura racional, sino desde dos diversas posturas de creencias:

[Reparad, sin embargo, en que vosotros no hacéis sino oponer una creencia a otra, y en que los argumentos no tienen aquí demasiada importancia. Dejemos a un lado la creencia en Dios, la cual no es, precisamente, ninguna de las dos que intervienen en este debate. El argumento ontológico lo ha creado una fe racionalista de que vosotros carecéis, una creencia en el poder mágico de la razón para intuir lo real, la creencia platónica en las ideas, en el ser de lo pensado. El célebre argumento no es una prueba; pretende ser—como se ve claramente en Descartes—una evidencia. A ella oponéis vosotros una fe agnóstica, una desconfianza de la razón, una creencia más o menos firme en su ceguera para lo absoluto. En toda cuestión metafísica, aunque se plantee en el estadio de la lógica, hay siempre un conflicto de creencias encontradas. Porque todo es creer, amigos, y tan creencia es el *sí* como el *no*. Nada importante se refuta ni se demuestra, aunque se pase de creer lo uno a creer lo otro] (16).

Como consecuencia de todo ello, Machado se sienta en el patio de butacas y contempla divertido los diversos tipos de esgrima que a lo largo de la historia se van sucediendo en el escenario en torno al argumento metafísico, con el que unos y otros pretenden probar o desacreditar la existencia de Dios:

[No quiero con esto daros a entender que piense yo que

_____

(16) *Juan de Mairena...,* XIV.

el buen obispo de Canterbury era hombre descreído, sino que, casi seguramente, no fue hombre que necesitase de su argumento para creer en Dios. Tampoco habéis de pensar que nuestro tiempo sea más o menos descreído porque el tal argumento haya sido refutado alguna vez, lo cual, aunque fuese cierto, no sería razón suficiente para *descreer* en cosa tan importante como es la existencia de Dios] (17).

Una vez que ha dejado clara su posición negativa frente a la capacidad que pueda tener la metafísica para *probar* la existencia de Dios, Machado, consecuente consigo mismo, acude al fenómeno *extrínseco* de la palabra. No es el hombre el que empieza a proferir la palabra «Dios», sino Dios mismo el que inicia el diálogo:

[No desdeñéis la palabra:
el mundo es ruidoso y mudo;
poetas, solo Dios habla] (18).

Tan absoluta y radical es la iniciativa de Dios en su coloquio con la conciencia humana, que el intento de ser el primero en dirigir la palabra a Dios es considerado por Machado como una pura ilusión y un mero sueño:

[Ayer soñé que veía
a Dios y que a Dios hablaba;
y soñé que Dios me oía...
Después soñé que soñaba] (19).

---

(17) *Juan de Mairena...*, XIV.

(18) *Nuevas canciones*, CLXI (Proverbios y cantares), XLIV.

(19) *Campos de Castilla, CXXXVI* (Proverbios y cantares), XXI.

A veces refleja en el sueño este orden de la locución Dios-hombre-Dios:

> [Anoche soñé que oía
> a Dios gritándome: ¡Alerta!
> Luego era Dios quien dormía,
> y yo gritaba: ¡Despierta!] (20).

Como vemos, las relaciones entre Dios y el hombre se dan en el ámbito de la palabra, con una absoluta prioridad de Dios. Aún más, parece que Machado quiere indicar que toda palabra en definitiva no es sino un residuo de ese coloquio que Dios ha iniciado con el hombre.

Naturalmente, esta palabra de Dios no aplasta al hombre, sino solamente lo interpela: el hombre, en la rigurosa lógica machadiana, deberá ser siempre un libre respondedor a la llamada inicial de Dios. Por eso, Machado nos sorprende con su coherente afirmación sobre la necesidad de dejar libre circulación nada menos que a la blasfemia:

> [La blasfemia forma parte de la religión popular. Desconfiad de un pueblo donde no se blasfema: lo popular allí es el ateísmo. Prohibir la blasfemia con leyes punitivas, más o menos severas, es envenenar el corazón del pueblo, obligándole a ser insincero en su diálogo con la divinidad. Dios, que lee en los corazones, ¿se dejará engañar? Antes perdona El—no lo dudéis—la blasfemia proferida que aquella otra

---

(20) *Campos de Castilla*, CXXXVI (Proverbios y cantares), XLVI.

hipócritamente guardada en el fondo del alma o, más hipócritamente todavía, trocada en oración] (21).

Esta intuición será posteriormente ampliada cuando el fenómeno del ateísmo se presente en nuestra sociedad como algo con carta de naturaleza. Efectivamente, a partir de este momento la blasfemia es una rebeldía del hombre frente a la palabra incordiante de Dios. El ateísmo, por el contrario, presupone una operación quirúrgica, en virtud de la cual la «zona de la creencia» o ha sido extirpada completamente o, al menos, temporalmente anestesiada.

En definitiva, se trataría de una grave mutilación humana.

Por eso, Machado insiste no solamente en la tolerancia del fenómeno popular de la blasfemia, sino en la profundización intelectual de esta realidad, todavía más humana, de una lucha entre Dios y el hombre:

[En una Facultad de Teología bien organizada es imprescindible—para los estudios del doctorado, naturalmente—una cátedra de Blasfemia, desempeñada, si fuera posible, por el mismo Demonio] (22).

Reconozco sinceramente que esta actitud es la típica de un creyente, ya que el que mejor entiende a un ateo (no digamos a un blasfemo) es precisamente el verdadero creyente. La razón es muy sencilla: tiene plena conciencia de la gratuidad de su fe, y sabe

---

(21) *Juan de Mairena...*, I.
(22) *Ibídem.*

que no puede imponerla a nadie: es una cuestión entre Dios y cada conciencia humana:

[En una república cristiana democrática y liberal conviene otorgar al Demonio carta de naturaleza y de ciudadanía, obligarlo a vivir dentro de la ley, prescribirle deberes a cambio de concederle sus derechos, sobre todo el específicamente demoníaco: el derecho a la emisión del pensamiento. Que como tal Demonio nos hable, que ponga cátedra, señores. No os asustéis. El Demonio, a última hora, no tiene razón; pero tiene razones. Hay que escucharlas todas] (23).

RESUMEN

1) La fe en Dios no es, de ninguna manera, el resultado de una investigación filosófica, cuya iniciativa y éxito sean de la razón.

2) Dios aparece en el horizonte de la conciencia humana a través de la palabra; palabra que inicia Dios absolutamente, y a la que puede seguir una respuesta del hombre.

3) Esta respuesta del hombre no siempre es positiva, ya que la palabra de Dios deja misteriosamente al hombre libre de elegir; por eso, puede darse el caso de la rebeldía, traducido en la blasfemia.

---

(23) *Juan de Mairena...*, I.

4) El ateísmo es peor que la blasfemia, ya que implica la extirpación de esa zona vital del hombre que se llama la creencia, cosa que no sucede con la mera blasfemia.

5) El verdadero creyente comprende la necesidad de no extirpar brutalmente la blasfemia; es más, se ve obligado a estudiarla e incluso a escucharla de la misma boca del Demonio, ya que en ella hay algo de positivo en orden a su fe en Dios.

3. FE ESCATOLOGICA

Esta fe en Dios, que aparece tan nítida en la teología machadiana, no es de tipo puramente vertical y simplemente ahistórica; sino que se inserta en el duro y glorioso itinerario de una humanidad que va buscando algo que trascienda su propia historia, sin por eso prescindir de ella. Es lo que podríamos llamar la dimensión escatológica de la fe en Dios, según la visión y experiencia de Antonio Machado.

En un primer momento, el poeta describe de manera vaga este carácter itinerante de su fe en Dios:

> [Como perro olvidado que no tiene
> huella ni olfato y yerra
> por los caminos, sin camino, como
> el niño que en la noche de una fiesta

se pierde entre el gentío
y el aire polvoriento y las candelas
chispeantes, atónito, y asombra
su corazón de música y de pena,

así voy yo, borracho melancólico,
guitarrista lunático, poeta,
y pobre hombre en sueños,
siempre buscando a Dios entre la niebla] (24).

Inmediatamente—muy pronto—divisa ya un posible término de su peregrinar, pero se trata de una meta inmensa y llena de misterios. El poeta la simboliza con el «mar». La hipótesis de Aurora de Albornoz (25), según la cual el mar se identifica con lo desconocido, me parece la más acertada. Eso sí, esto desconocido es la meta hacia la que camina el peregrino de la fe y de la esperanza. Esto aparece bastante claro en el poema, donde refleja su inmensa amargura tras la temprana muerte de Leonor, su mujer:

[Señor, ya me arrancaste lo que yo más quería.
Oye otra vez, Dios mío, mi corazón clamar.
Tu voluntad se hizo, Señor, contra la mía.
Señor, ya estamos solos mi corazón y el mar.

Dice la esperanza: un día
la verás, si bien esperas.
Dice la desesperanza:
solo tu amargura es ella.

---

(24) *Galerías*, LXXVII.

(25) *La presencia de Miguel de Unamuno en Antonio Machado*. Ed. Gredos, Madrid, 1968, pág. 248.

Late, corazón... No todo
se lo ha tragado la tierra] (26).

Machado, que iba caminando con Leonor hacia ese mar donde
confluyen todos los ríos de la historia y de la vida humanas, descubre con pavor y serenidad que a partir de ese momento [ya estamos solos mi corazón y el mar]: su marcha sigue, pero en solitario.

Sin embargo, la esperanza supera la tentación de la desesperanza: el corazón puede seguir latiendo, ya que [no todo se lo ha
tragado la tierra].

En otro momento de serenidad el poeta se dirige a Dios con
una animosa y esperanzada pregunta:

[Y tú, Señor, por quien todos
vemos y que ves las almas,
dinos si todos, un día,
hemos de verte la cara] (27).

Como vemos, la búsqueda de Machado no se refiere a un final
nirvánico e impersonal, sino a un encuentro decididamente personal con un Dios de perfiles determinados: «ver la cara de Dios»,
la vieja expresión bíblica. Ahora bien: este encuentro del hombre
con Dios se haría, no en la soledad de una ausencia de todo lo
material, sino en una especie de regeneración o reviviscencia de
este entorno cósmico donde el hombre está sumido.

(26) *Campos de Castilla*, CXIX, CXX.
(27) *Nuevas canciones*, CLVIII (Canciones de Tierras Altas), X.

Machado se alinea así en la gran tradición judeocristiana de la fe en la resurrección corporal y cósmica:

[¿Y ha de morir contigo el mundo mago
donde guarda el recuerdo
los hálitos más puros de la vida,
la blanca sombra del amor primero,

la voz que fue a tu corazón, la mano
que tú querías retener en sueños,
y todos los amores
que llegaron al alma, al hondo cielo?

¿Y ha de morir contigo el mundo tuyo,
la vieja vida en orden tuyo y nuevo?
¿Los yunques y crisoles de tu alma
trabajan para el polvo y para el viento?] (28).

En este mismo sentido escribía Machado a Unamuno, reafirmando su esperanza en la resurrección:

[Lo que no veo tan claro es si nos aconseja usted la niebla o la luz, aunque comprendo que todo es niebla, es decir, que no vemos con nuestra luz y que acaso—aquí del riesgo socrático—veamos al azar. ¿Qué es lo terrible de la muerte? ¿Morir o seguir viviendo como hasta aquí, sin ver? Si no nos nacen otros ojos, cuando estos se nos cierren, que estos se los lleve el diablo, poco importa. Tal vez no sea esto lo humano.

_____

(28) *Galerías*, LXXVIII.

Sócrates decía, no recuerdo dónde, que le sería muy grato emplear su vida en el infierno como la empleaba aquí, conversando, charlando y convenciendo a los sabios de que nada sabían; don Félix de Montemar pasó de las callejas de Salamanca, sin darse cuenta, al otro mundo, persiguiendo una linda dama. Para ese viaje... Cabe otra esperanza, que no es la de conservar nuestra personalidad, sino la de ganarla. Que se nos quite la careta, que sepamos a qué vino esta carnavalada que juega el universo en nosotros o nosotros en él, y esta inquietud del corazón para qué y por qué es.

En fin, yo creo que el autor de *Niebla* no está hecho de la sustancia de sus sueños, sino de otra más sustancial. ¿Que dormimos? Muy bien. ¿Que soñamos? Conforme. Pero cabe despertar. Cabe esperanza, dudar en fe... En fin, mi querido don Miguel, vuelvo a su *Niebla*. Ahí se ve luz] (29).

Finalmente, al creyente que era Machado, asido tenazmente a su esperanza en la resurrección de esto en el más allá, se le presenta la eterna pregunta pragmática: si al final habrá una resurrección, una remodelación de todo, ¿para qué luchar por mejorar los detalles de esta historia que no tiene entidad en sí misma y parece abocada a la *mar* de un futuro eterno y absolutamente mejor? Machado da una respuesta profundamente andaluza—senequista—y (creo yo) sustancialmente cristiana:

[Hace muy tiempo, Ilya Ehrenburg, nuestro fraterno amigo, me recitaba en Madrid las coplas de don Jorge Manrique,

---

(29) *Los Complementarios*. Ed. Losada, Buenos Aires, 1968, págs. 174-75.

que él había traducido al ruso y que yo sabía de memoria en castellano. Muy bien sonaba en la lengua de Tolstoy, y en labios de Ehrenburg, aquello de

> *nuestras vidas son los ríos*
> *que van a dar en la mar*
> *que es el morir.*

Y aquello otro de

> *allí los ríos caudales,*
> *allí los otros medianos*
> *y más chicos,*
> *allegados son iguales:*
> *los que viven por sus manos*
> *y los ricos.*

Y una reflexión escéptica de muy honda raíz en mi alma, porque arrancaba de otra reflexión infantil, acudía a mi mente. Si los ricos y los que vivimos por nuestras manos—o por nuestras cabezas—somos iguales, allegados a la muerte, y el viaje es tan corto, acaso no vale la pena de pelear en el camino. Pero la voz de Ehrenburg me evocaba, también por su vehemencia, las palabras que Pablo Iglesias fulminaba contra las desigualdades del camino, sin mencionar siquiera su brevedad. Y aquella reflexión mía no llegó a formularse en la lengua francesa, que Ehrenburg y yo utilizábamos para entendernos. Porque, decididamente, el compañero Iglesias tenía razón, y el propio Manrique se la hubiera dado. La brevedad del camino en nada amengua el radio infinito de una injusticia] (30).

En su búsqueda profunda, pero serena, Machado ha descubierto que la fe y la esperanza de la resurrección en nada impide que el hombre luche por mejorar el pequeño espacio de su existencia en, ese corto caminar desde la cuna hasta la tumba. Lo que no pudo divisar es esa consciencia cristiana, hoy tan frecuente, en virtud de la cual la esperanza en la resurrección no solo exige el compromiso en la lucha del camino, sino que inspira a los caminantes para que su lucha no produzca el desánimo, por una parte, y para que, por otra, no se caiga en la tentación de tomar por el «mar» definitivo cualquier pequeño «río» del camino, por *caudal* que se presente.

Sin embargo, en la ascética machadiana la esperanza en la resurrección tiene una influencia profunda (no importa si es a nivel de subconsciente), de suerte que le hace proferir en esta bellísima confesión de creyente esperanzado y luchador al mismo tiempo:

[Converso con el hombre que va siempre conmigo
—quien habla solo, espera hablar a Dios un día—;
mi soliloquio es plática con este buen amigo
que me enseñó el secreto de la filantropía.

Y al cabo, nada os debo; debéisme cuanto he escrito.
A mi trabajo acudo, con mi dinero pago
el traje que me cubre y la mansión que habito,.
el pan que me alimenta y el lecho donde yago.

_____

(30) *Antonio Machado. Antología de su prosa*, I. Ed. Cuadernos para el Diálogo, Madrid, 1970, págs. 172 y sg.

48

Y cuando llegue el día del último viaje,
y esté al partir la nave que nunca ha de tornar,
me encontraréis a bordo, ligero de equipaje,
casi desnudo, como los hijos de la mar] (31).

Dado que la experiencia religiosa de Machado no se realiza en la pura abstracción de la especulación intelectual, sino en la inmersión de todo su ser—cuerpo, mente, sentimiento, voluntad— en la lucha inevitable y serena por llegar a la «mar», creo que podrá ilustrar este aspecto la descripción que de sus últimos días hace su hermano José, que compartió con él la amargura del destierro, la suma pobreza del final y la tristeza de sus últimos momentos:

«Antonio, siempre resignado y silencioso, contemplaba a la madre con su fino y blanco pelo pegado a las sienes por la lluvia, que se deslizaba por su bello rostro como un claro velo de lágrimas. Y así, chorreando y empapados hasta los huesos, más que andar, eran arrastrados y estrujados a empellones por una multitud que en forma de avalancha pugnaba a toda costa por ganar la frontera. Extenuados de fatiga pasaron al fin debajo de la pesada cadena de hierro que sostenían dos corpulentos negros que se veían brillantes por la lluvia, hechos del mismo hierro de esta cadena que marcaba la línea divisoria entre España y Francia. Fue también la divisoria entre la vida y la muerte, ya que la fatalidad le desarraigó de su patria para que su sino se cumpliese inexorablemente fuera de ella... Emprendimos de nuevo la marcha hacia la estación de Cerbère, en cuya cantina buscamos refugio... Cruzamos

---

(31) *Campos de Castilla*, XCVII.

las vías, tropezando aquí y allá, hasta llegar a alcanzar, con gran trabajo, desde el suelo los altísimos estribos de un vagón, al que se consiguió subir. Y al cabo quedaron el poeta y la madre dentro de este tren en sombra, en cuyos asientos cayeron desfallecidos por tan larga y terrible odisea. El viento siguió desencadenado, ululando enfurecido durante toda aquella amarga noche. Así fue la entrada del poeta español Antonio Machado y su madre, con los que lo acompañábamos, en Francia. Gravemente enfermo y sin un solo franco en el bolsillo:

casi desnudos, como los hijos de la mar.

Fue la noche del 28 de enero de 1939 la primera que pasó el poeta y los suyos en Collioure. Ha llegado ya a su última estancia... No podía sobrevivir a la pérdida de España. Tampoco sobreponerse a la angustia del destierro... Sin embargo, unos días antes de su muerte y en su infinito amor a la Naturaleza, me dijo ante el espejo mientras trataba en vano de arreglar sus desordenados cabellos: "Vamos a ver el mar." Esta fue su primera y última salida... Así llegó, conservando todas sus facultades, hasta las últimas horas de la tarde en que sobrevino su muerte. La noble cabeza del poeta, hundida en la almohada, tenía esa augusta serenidad que aparece apenas roto el invisible hilo de la vida. Su cuerpo reposaba, ya inerte, bajo la bandera republicana, por la que como un soldado más dio generosamente su vida. Esto sucedía en Collioure en la tarde del 22 de febrero—Miércoles de Ceniza—del año 1939» (32).

---

(32) *Ultimas soledades del poeta Antonio Machado (Recuerdos de su hermano José)*. Imprenta Provincial, Soria, 1971, págs. 155-60.

RESUMEN

1) La fe en Dios lleva a Machado a esperar un final transhistórico—la «mar»—, hacia el cual camina entre angustiado y esperanzado.

2) Este peregrinar hacia la «mar» no es un itinerario hacia lo abstracto—lo nirvánico—, sino hacia lo concreto y personal: «ver la cara de Dios».

3) El encuentro, esperado, entre el hombre y Dios no se realizará solo individualmente, sino en el contexto de una renovación del entorno en el que se desarrolla la historia de la humanidad.

4) La esperanza de la resurrección no impulsa a la pasividad, sino al compromiso, a la inmersión en el pequeño trozo de la historia que nos ha tocado vivir.

5) Esta fe escatológica inspira una ascética de despegue y de lucha, para estar siempre dispuesto al final de cada uno, final que sería un jalón de la historia humana que progresa hacia la «mar».

4. LOS DISFRACES DE LA FE

No podríamos entender plenamente a Machado en su calidad de «creyente» si no sacáramos a colación algo que en este aspecto es vital para él: los disfraces de la fe. A la fe habría que declararla como tal en toda aduana de la convivencia humana, y no, por el contrario, camuflarla con disfraces de ciencia o de razón. *Suum cuique.*

Esto es lo que hace *Juan de Mairena* cuando presenta el proyecto de su «Escuela de Sabiduría»:

[Las religiones históricas, que se dicen reveladas, nada tendrían que temer de nuestra Escuela de Sabiduría; porque nosotros no combatiríamos ninguna creencia, sino que nos limitaríamos a buscar las nuestras. Nosotros solo combatimos, y no siempre de un modo directo, las creencias falsas, es decir, las incredulidades que se disfrazan de creencias] (33).

Este es el primer disfraz de la fe que combate nuestro poeta, o sea la presentación y la oferta de una «creencia» que de ninguna manera es compartida por el «evangelizador»; y así Mairena le dice a su alumno Martínez:

[Usted puede creer en el infierno hasta achicharrarse en él anticipadamente; pero de ningún modo recomendar a su prójimo·esta creencia sin una previa y decidida participación de usted en ella] (34).

Machado, al llegar aquí, sale de su habitual serenidad y se atreve a señalar con el dedo un disfraz de fe que él juzga intolerable: el pragmatismo:

[Nosotros militamos contra una sola religión, que juzgamos irreligiosa: la mansa y perversa que tiene encanallado a todo el Occidente. Llamémosle *pragmatismo*, para darle el nombre elegido por los anglosajones del Nuevo Continente, que todavía ponen el mingo en el mundo, para bautizar una ingeniosa filosofía o, si os place, una ingeniosa carencia de filosofía. La palabra pragmatismo viene un poco estrecha a nuestro concepto, porque nosotros aludimos con ella a la religión natural de casi todos los granujas, sin distinción de continentes. Quisiéramos nosotros contribuir, en la medida

---

(33) *Juan de Mairena...*, **XXXVI**.

(34) *Ibídem.*

de nuestras fuerzas, a limpiar el mundo de hipocresía, de *cant* inglés, etc.] (35).

¿Y por qué condena Machado al pragmatismo? ¿Quizá por su contenido ramplón? Ni mucho menos, sino por lo que hemos oído al principio: porque ofrece al público un producto falsamente filosófico. Dicho de otra manera: porque no puede ofrecer una nueva creencia, aunque lo pretenda hábilmente. Vaámoslo:

[Los pragmatistas piensan que, a última hora, podemos aceptar como verdadero cuanto se recomienda por su utilidad; aquello que sería conveniente creer, porque, creído, nos ayudaría a vivir. Claro es que los pragmatistas no son tan brutos como podríais deducir, sin más, de esta definición. Ellos son, en el fondo, filósofos escépticos que no creen en una verdad absoluta. Creen, con Protágoras, que el hombre es la medida de todas las cosas, y con los nominalistas, en la irrealidad de lo universal. Esto asentado, ya no parece tan ramplón que se nos recomiende elegir, entre las verdades relativas al individuo humano, aquellas que menos pueden dañarle o que menos conspiran contra su existencia. Los pragmatistas, sin embargo, no han reparado en que lo que ellos hacen es invitarnos a elegir una fe, una creencia, y que el racionalismo que ellos combaten es ya un producto de la elección que aconsejan, el más acreditado hasta la fecha. No fue la razón, sino la fe en la razón lo que mató en Grecia la fe en los dioses. En verdad, el hombre ha hecho de esta creencia en la razón el distintivo de su especie] (36).

---

(35) *Juan de Mairena*..., XXXVI.

(36) *Juan de Mairena*..., XIII.

Según esto, el pragmatismo querría hacer tabla rasa de todo filosofar y reducirse a la utilidad inmediata. Naturalmente, esta opción por lo útil habría de ser una creencia, y los pragmatistas así lo admiten: ellos luchan contra el racionalismo, partiendo del supuesto de que la razón es útil; basta con la vida inmediata, y a esto se llega con una especie de intuición que de alguna manera es ya una creencia.

Sin embargo, Machado levanta el disfraz de esta supuesta creencia pragmatista y observa con pavor y alegría al mismo tiempo que detrás de todo ello no hay... absolutamente nada:

[Frente a los pragmatistas escépticos no faltará una secta de idealistas, por razones pragmáticas, que piensen resucitar a Platón, cuando, en realidad, disfrazan a Protágoras. Lo propio de nuestra época es vivir en plena contradicción, sin darse de ello cuenta, o, lo que es peor, ocultándolo hipócritamente. Nada más ruin que un escepticismo inconsciente o una sofística inconfesada que, sobre una negación metafísica que es una fe agnóstica, pretende edificar una filosofía positiva. ¡Bah! Cuando el hombre deja de creer en lo absoluto, ya no cree en nada. Porque toda creencia es creencia en lo absoluto. Todo lo demás se llama pensar] (37).

Con esto Machado se muestra decidido partidario de un retorno a la metafísica, llamándola por su verdadero nombre, o sea una creencia en lo absoluto:

[Una metafísica, es decir, una hipótesis más o menos atrevida de la razón sobre la realidad absoluta, está siempre

(37) *Juan de Mairena...*, XIII.

apoyada por un acto de fe individual. Un acto de fe no consiste en creer sin ver o en creer en lo que no se ve, sino en creer que se ve, cualesquiera que sean los ojos con que se mire, e independientemente de que se vea o de que no se vea. Existe una fe metafísica, que no ha de estar necesariamente tan difundida como una fe religiosa; pero tampoco necesariamente menos. ¡Oh! ¿Por qué? La íntima adhesión a una gran hipótesis racional no admite, de derecho, restricción alguna a su difusión dentro de la especie humana. Tal es uno de los fundamentos de nuestra Escuela de Sabiduría. El hecho es que esta fe metafísica suele estar mucho más difundida de lo que se piensa] (38).

Desde este noble reconocimiento de la realidad de una fe metafísica infraestructural en todo pensar y actuar humanos, Machado establece sencillamente las líneas divisorias entre su fe cristiana y una hipotética creencia metafísica que él llama del *solus ipse:*

[Podemos encontrarnos en un estado social minado por una fe religiosa y otra fe metafísica francamente contradictorias. Por ejemplo, frente a nuestra fe cristiana—una «videncia» como otra cualquiera—en un Dios paternal que nos ordena el amor de su prole, de la cual somos parte, sin privilegio alguno, milita la fe metafísica en el *solus ipse* que pudiéramos formular: «nada es en sí sino yo mismo, y todo lo demás, una representación mía, o una construcción de mi espíritu que se opera por medios subjetivos o una simple constitución intencional del puro yo, etc., etc.». En suma, tras la frontera de mi yo empieza el reino de la nada. La

(38) *Juan de Mairena...,* XXXVIII.

heterogeneidad de estas dos creencias ni excluye su contradicción ni tiene reducción posible a denominador común. Y es en el terreno de los hechos donde no admiten conciliación alguna. Porque el *ethos* de la creencia metafísica es necesariamente autoerótico, egolátrico. El yo puede amarse a sí mismo con amor absoluto, de radio infinito. Y el amor al prójimo, al otro yo que nada es en sí, al yo representado en el yo absoluto, solo ha de profesarse de dientes para afuera. A esta conclusión *d'enfants terribles*—¿y qué otra cosa somos?—de la lógica hemos llegado. Y reparad ahora en que el «ama a tu prójimo como a ti mismo y aún más, si fuera preciso», que tal es el verdadero precepto cristiano, lleva implícita una fe altruista, una creencia en la realidad absoluta, en la existencia en sí del otro yo. Si todos somos hijos de Dios—hijosdalgo, por ende, y esta es la razón del orgullo modesto a que he aludido más de una vez—, ¿cómo he de atreverme, dentro de esta fe cristiana, a degradar a mi prójimo tan profunda y substancialmente que le arrebate el ser en sí para convertirlo en mera representación, en puro fantasma mío?] (39).

Machado llega a poner los puntos sobre las íes en función de eso que más tarde se llamará «diálogo» entre profesadores de dos ideologías, pongo por caso, entre marxistas y cristianos. Es imposible—dice el poeta y pensador sevillano—plantear este problema del diálogo en un plano puramente intelectual, ya que en el fondo no se trata simplemente de dos *visiones*, sino de dos posturas éticas vitales. Dicho de otra forma: no basta con el «diá-logo», sino que hay que plantearse seriamente también la «dia-praxis».

---

(39) *Juan de Mairena...*, XXXVIII.

Para ello lo primero es reconocer el hecho, sin la menor tentativa de paliarlo:

[Sería conveniente que el hombre más o menos occidental de nuestros días, ese hombre al margen de todas las Iglesias—o incluido sin fe en alguna de ellas—que ha vuelto la espalda a determinados dogmas, intentase una profunda investigación de sus creencias últimas. Porque todos—sin excluir a los herejes, coleccionistas de excomuniones, etc.—creemos en algo, y es este algo, en fin de cuentas, lo que pudiera explicar el sentido total de nuestra conducta. Sin una *pura investigación de las creencias*, que sólo puede encomendarse a los escépticos propiamente dichos, carecemos de una norma medianamente segura para juzgar los hechos más esenciales de la Historia] (40).

Partiendo de este presupuesto esencial, Machado se planta ante los dos caminos que, a ojo de buen cubero, se le abrían a él—y a los que con él compartían ese *ethos* fundamentalmente cristiano—, y que podrían llamarse respectivamente «idealismo» y «materialismo histórico». He aquí su visión del problema:

[Los idealistas, más o menos rezagados—el rezago no implica apartamiento de la verdad, sino de la moda—, creen en el espíritu como resorte decisivo, supremo imán o primer impulsor de la Historia. Es una creencia como otra cualquiera, y más generalizada de lo que se piensa. La biblia de estos hombres—no siempre leída, como es destino ineluctable de todas las biblias—abarca las metafísicas postkantianas

---

(40) *Consejos, sentencias...*, VI.º

que culminan en Hegel y que hoy, no obstante su relativo descrédito, influyen poderosamente hasta infiltrarse en la retórica de las multitudes. Frente a esta legión de románticos milita la hueste de los que pudiéramos llamar, aunque no con mucha razón, *realistas*, de los que creen que la vida social y la Historia se mueven por impulsos ciegos (intereses económicos, apetitos materiales, etc.), con independencia de toda espiritualidad. Es otra creencia enormemente generalizada, que ha llegado a determinar corrientes populares o, como bárbaramente se dice, movimientos de masas humanas. La biblia de estos hombres abarca, entre otras cosas, la filosofía de la izquierda hegeliana—la línea que desciende de Hegel a Marx y a su compadre Engels—, y a cuantos profesan, con más o menos restricciones, el llamado *materialismo histórico*. Los unos y los otros—idealistas y realistas—se mueven *con* sus creencias, siempre en compañía de sus creencias. ¿Se mueven *por* ellas, como pensaba mi maestro Abel Martín? He aquí lo que convendría averiguar] (41).

Al llegar aquí, Machado es prudente y lanza tímidamente sus interrogantes: él no sabe si el «materialismo histórico» es una negación total del idealismo en cuanto reconocimiento de unas fuerzas superiores humanas capaces de frenar, controlar o incluso de superar un puro determinismo material, dado previamente a la reflexión y al esfuerzo del hombre. Por eso se atreve a crear—¡para eso era *poeta* (= creador)!—una hipótesis de trabajo que él expone con aquella sencillez y profundidad que le caracterizaban:

[No faltan, ciertamente, quienes después de haber decre-

---

(41) *Consejos, sentencias...*, VI.º

tado la absoluta incapacidad de los factores reales para dar un sentido a la vida humana, y la no menos absoluta inania de las ideas para influir dinámicamente en los factores reales, piensan que, unidos los unos a las otras, se obtiene un resultado integral positivo para la marcha de la Historia. Como si dijéramos: el carro que un percherón no logra llevar a ninguna parte camina como sobre rieles si, unido al percherón, se le unce la sombra de un hipogrifo. Son síntesis a la alemana que nosotros, los iberos, no acertamos nunca a realizar] (42).

Efectivamente, se trataba de una «síntesis a la alemana», realizada por aquel judío alemán barbudo que se llamó Carlos Marx. Ya en vida se tuvo que defender de los que interpretaban su «materialismo» dialéctico e histórico como un puro «materialismo mecanicista». Realmente, partiendo ya de sus *Manuscritos* de 1844 y de la *Sagrada Familia*, Marx rechazaba por igual al materialismo y al idealismo: ambos impedirían, a su manera, un conocimiento efectivo de la realidad estableciendo una ruptura entre el pensamiento y el mundo. Concretamente, el materialismo olvida la actividad del hombre; el idealismo olvida la realidad del mundo material. Marx no opone una nueva teoría abstracta del conocimiento a las teorías antiguas; no aporta solución a los viejos problemas, acudiendo a la primacía del espíritu o de la materia. Lo único que hace es oponer a estas cuestiones irrelevantes una cuestión nueva: la de la praxis.

Así, pues, el materialismo de Marx se nos presenta como absolutamente extraño a cualquier forma de materialismo metafísico

---

(42) *Consejos, sentencias...*, VI.º

o filosófico clásico. Es decir, que Marx será traicionado fundamentalmente por sus amigos o por sus enemigos si estos, por diversas razones, reducen su pensamiento al viejo cuadro de la oposición entre materialismo e idealismo.

El poeta sevillano intuyó esta plenitud del pensamiento marxiano con su simpática figuración del percherón y del hipogrifo guiando el mismo carro.

RESUMEN

La fe o la creencia es tan esencial en la realidad histórica del hombre que, aun cuando aparentemente se niegue su existencia, lo único que consigue es esconderla detrás de varios disfraces:

1) El primer disfraz—el más intolerable para Machado—de la fe es el pragmatismo que, partiendo de una fraudulenta absolutización de lo útil inmediato, pretende ofrecer un sucedáneo de la creencia, pero sin nada absoluto que sirva de punto de referencia.

2) Otro disfraz sería la actuación de los sedicentes filósofos *como si* la metafísica fuera una ciencia verificable sin una infraestructura que es inevitablemente la fe en un absoluto.

3) Cuando dos creencias se enfrentan entre sí, deben quitarse el disfraz y combatir a rostro descubierto. Ahora bien: el duelo entre ambos caballeros no puede ser un simple «diá-logo», sino que implica toda una «dia-praxis».

4) Concretamente, el posible duelo entre «materialismo histórico» (marxismo) y cristianismo tendrá que ser planteado en el terreno de una superación del materialismo craso (el *solus ipse*) y del idealismo evasivo. Para ello habría que buscar un terreno común en la praxis, en el *ethos:* solamente desde ahí pueden tener sentido los mandobles de esta esgrima singular.

II. DIOS

*Aunque, al analizar el pensamiento machadia-
no sobre la fe o creencia como partida esencial de
la pregunta creadora del hombre, nos hemos tro-
pezado con el ineluctable factor «Dios», podemos
ahondar concretamente en el sentido profundo
que para la conciencia reflexiva de Machado implicaba la palabra y el concepto de Dios.*

1. GRATUIDAD

Los comentaristas de la «filosofía» machadiana se desconciertan fácilmente ante los juegos paradójicos de sus afirmaciones sobre Dios, sobre todo cuando a Dios se presenta no como el «creador del universo», sino como el «creador de la nada». ¿Se trata de un ateísmo o, a lo menos, de un panteísmo infraestructural en el subconsciente de Machado? Creo que podemos responder fácilmente a estos interrogantes si partimos del Machado real, que, por cierto, se expresa con una claridad y con una honestidad impecables: su «Dios» no es ningún «apócrifo», sino una luz meridiana. Veámoslo. Quizá el punto de partida se encuentre en el siguiente poema:

> [Anoche, cuando dormía,
> soñé, ¡bendita ilusión!,
> que una fontana fluía
> dentro de mi corazón.

65

Di, ¿por qué acequia escondida,
agua, vienes hasta mí,
manantial de nueva vida
en donde nunca bebí?

Anoche, cuando dormía,
soñé, ¡bendita ilusión!,
que una colmena tenía
dentro de mi corazón;
y las doradas abejas
iban fabricando en él,
con las amarguras viejas,
blanca cera y dulce miel.

Anoche, cuando dormía,
soñé, ¡bendita ilusión!,
que un ardiente sol lucía
dentro de mi corazón.
Era ardiente porque daba
calores de rojo hogar,
y era sol porque alumbraba
y porque hacía llorar.

Anoche, cuando dormía,
soñé, ¡bendita ilusión!,
que era Dios lo que tenía
dentro de mi corazón] (1).

Partiendo de la abundancia de datos concretos y convergentes
que sobre la fe o creencia acaba de suministrarnos Machado, po-

---

(1) *Galerías*, LIX.

demos fácilmente entender qué es lo que significa para él el hecho de que Dios aparezca en su conciencia a través de un sueño. Con eso quiere subrayar algo obsesivo en él: Dios es un dato previo a las manipulaciones de la razón, por legítimas que sean.

Ya lo hemos visto en el trato que le da al célebre «argumento» anselmiano sobre la existencia de Dios. Y también por ello mismo hace esta afirmación que nos pudiera parecer paradójica: [Un Dios existente sería algo terrible. ¡Que Dios nos libre de él!] (2).

Un «Dios existente» sería el fruto de un raciocinio impecable que de alguna manera pudiera atrapar lo inasible de Dios. Como es lógico, nos encontramos en ese mundo flúido de la mística, a la que pertenece de lleno nuestro poeta; por eso es imposible arrancar de estas alusiones para atribuirle un «teísmo» o un «ateísmo» que él rechaza por igual, como lo pudo hacer asimismo un San Juan de la Cruz.

Machado *cree* firmemente en Dios y comunica esta experiencia vital asegurando que su fe en Dios le ha venido desde fuera y precisamente cuando no actuaba como sujeto activamente pensante, sino cuando estaba relajado—sin pensar en nada—; en una palabra, cuando dormía. «Dios viene por el sueño»: esta frase machadiana es perfectamente reconvertible a lo que la teología cristiana de todos los tiempos ha afirmado de Dios: «Dios es gratuito», Dios es antes que los hombres; Dios inicia el diálogo con el hombre, y este responde sí o no; o quizá queda perplejo sin saber qué contestar.

---

(2) *Juan de Mairena...,* I.

Este Dios gratuito es llamado por Machado «creador de la Nada». Y es curioso que la mejor expresión de esta vivencia se encuentre en su poema titulado «Siesta»:

[Mientras traza su curva el pez de fuego,
junto al ciprés, bajo el supremo añil,
y vuela en blanca piedra el niño ciego,
y en el olmo la copla de marfil

de la verde cigarra late y suena,
honremos al Señor
—la negra estampa de su mano buena—
que ha dictado el silencio en el clamor.

Al Dios de la distancia y de la ausencia,
del áncora en el mar, la plena mar...
El nos libra del mundo—omnipresencia—,
nos abre senda para caminar.

Con la copa de sombra bien colmada,
con este nunca lleno corazón,
honremos al Señor que hizo la Nada
y ha esculpido en la fe nuestra razón] (3).

Como advierte Aurora de Albornoz (4), la frecuente asociación que Machado establece entre Dios y Nada ha hecho pensar a algunos críticos en la identificación entre Dios y Nada o Dios-Muerte.

---

(3) *De un cancionero apócrifo*, CLXX (En memoria de Abel Martín).

(4) *La presencia de Miguel de Unamuno en Antonio Machado*. Ed. Gredos, Madrid, 1968, págs. 256 y sgs.

Sin embargo, el Dios al que Machado dedica su brindis no es un Dios de muerte. A este respecto escribe Jorge Enjuto (5): «Veamos a qué Señor parece Machado referirse y cuál es el sentido de su lora. En primer término, en el último verso de la primera estrofa señala Machado que su sagrado brindis va destinado a aquel "que ha dictado el silencio en el clamor". Pero en el verso anterior se nos da un añadido, separado por guiones, que parece aclarar el sentido del verso posterior: la "negra estampa de su mano buena" es la que ha dictado el silencio para que nos sea permitido escuchar el latir sonoro de la copla de la cigarra, que en este poema se asocia con la vida.»

Efectivamente, la Nada machadiana no es simplemente la negación del ser, sino precisamente lo que está más allá y por encima del ser. En una palabra, es lo «otro». Machado no entra ni sale en la cuestión escolástica de la creación del mundo por Dios en el sentido de intentar buscar una explicación racional y científica a la realidad en la que estamos y en la que nos movemos. Aún más, yo diría que su investigación va por un camino totalmente opuesto.

En efecto, él sabe muy bien que ciertas «metafísicas» (muchas de ellas «apócrifas») prescinden de la referencia a Dios e incluso la excluyen. Pero, al mismo tiempo, admiten la presencia de una abstracción poderosa inmanente, que regula y dirige la estructuración del cosmos (6).

---

(5) «Comentarios al poema "Siesta" de Antonio Machado». *Insula*, números 212-13.

(6) Cf. mi libro *Dios es gratuito, pero no superfluo*. Ed. Marova, Madrid, 1970, págs. 123 y sgs.

G. Lukács hace una aguda descripción de este nuevo mito de la Nada: «La Nada es un mito; es el mito de la sociedad capitalista condenada a muerte por la Historia. Hace algunas décadas, la situación frente a la Nada pudo ser vivida por individuos-tipo como Savroguín o Svidrigalov. Ahora es toda una sociedad y clases sociales enteras las que se encuentran en esta situación» (7).

Lukács le sigue la pista a este «proceso de fetichización». Llevado de la mano de Heidegger, Jaspers y Sartre, el mito de la Nada se extiende sobre toda la existencia. Para Heidegger, la propia vida es el estado de derelicción—*Geworfenheit*—, de desemboque en la Nada. Esto es precisamente lo que, para el filósofo húngaro, explica el éxito del existencialismo: el nihilismo radical. La doctrina que enseña que la vida está privada de toda perspectiva y que el sentido de la existencia es inaccesible a todo conocimiento, es bien acogida por todos los que piensan que su existencia está privada de toda perspectiva y que su vida no tiene ningún sentido.

Ernst Bloch (8) ha sabido descubrir en esta postura existencialista un sucedáneo de la actitud religiosa alienante frente al más allá: «Frente a la muerte eterna, la condición social del hombre no tiene ninguna importancia. Poco importa, pues, aun cuando sea capitalista... La aceptación de la muerte, en cuanto destino absoluto y única salida, tiene la misma significación para la actual contrarrevolución que la consolación del más allá de antaño.»

La frecuente literatura existencialista, donde el hombre apare-

_____

(7) *Existentialisme ou marxisme.* París, 1961, págs. 90 y sgs.

(8) En Lukács, *ob. cit.*, pág. 95.

ce solamente como espectador o como el autor de una pieza absurda y fatídica, y donde el sentido y el absurdo se identifican, no puede justificarse con el pretexto de que sólo quiere reflejar ciertas zonas de la vida, agudos estados de asco, indiferentismo o desesperanza. Esta actitud fatalista ante el absurdo se complace en la pasividad y predica la renuncia a intervenir en la vida, a cambiar la Historia.

Y, como siempre, la clase dominante se aprovecha del reinado de esta nueva pareja *apócrifamente* divina—el Absurdo y la Nada—para conseguir que las clases explotadas pierdan combatividad en su proceso de autoliberación. Y lo cierto es que las derivaciones literarias y casi multitudinarias del existencialismo no han provocado nunca una intervención decididamente enérgica de las poderosas policías de los grandes gobiernos imperialistas o dictatoriales.

Por consiguiente, la Nada creada o soñada por los hombres es sencillamente... eso: *nada*. Pero hete aquí que Machado, con su poderosa intuición y su sentido fuertemente vitalista de creyente cristiano, descubre nada menos que la *realidad* de la Nada: la Nada ha sido creada por Dios precisamente. En otras palabras, esos espacios supuestamente inexistentes más allá de la existencia humana—esa Nada—es la gran obra de Dios. Dios crea la Nada. Dios está en la Nada. La Nada está llena de Dios.

Para penetrar mejor en el pensamiento machadiano, observemos que para él no había una «prueba filosófica contundente» de la existencia de Dios, sobre todo a partir de la consideración del mundo. Y así parte de una pura constatación:

[Si estudiaseis el folklore religioso de nuestra tierra, os encontraríais con que la observación del orden impasible de la Naturaleza hace creyentes a muchos de nuestros paisanos y descreídos a otros muchos. Y es que en esto, como en todo, hay derechas e izquierdas. «*Siento que no haiga Dios*—oí decir una vez—, porque eso de que todo en este mundo se tenga de *caé siempre d'arriba abajo*...» Y otra vez: «¡Bendito sea Dios, que hace que el sol *sarga* siempre por el Levante!»] (9).

Dicho de otra forma: no es el ser—lo que hay—el vehículo que lo lleva a Dios y que con El lo conecta, sino precisamente lo que hay más allá del ser: el otro lado de la frontera. Machado es un poeta y tiene conciencia de ello; por eso sus expresiones no se ajustan a los moldes metódicos que muchos hubieran deseado:

[El poeta tiene metafísica para andar por casa, quiero decir el poema inevitable de sus creencias últimas, todo él de raíces y de asombros. El ser poético—*on poietikós*—no le plantea problema alguno; él se revela o se vela; pero allí donde aparece, es. La nada, en cambio, sí. ¿Qué es? ¿Quién la hizo? ¿Cómo se hizo? ¿Cuándo se hizo? ¿Para qué se hizo? Y todo un diluvio de preguntas que arrecia con los años y que se origina no solo en su intelecto—el del poeta—, sino también en su corazón. Porque la nada es, como se ha dicho, motivo de angustia. Pero para el poeta, además y antes que otra cosa, causa de admiración y de extrañeza] (10).

---

(9) *Juan de Mairena...*, XXXIX.

(10) *Juan de Mairena...*, XXXI.

Por consiguiente, su «partir de la Nada» no tenía nada que ver
con la que pudiéramos llamar «fe nihilista»:

[Sostenía mi maestro que el fondo de nuestra conciencia
a que antes aludíamos no podía ser esa fe nihilista de nuestra razón, y que la razón misma no había dicho con ella la
última palabra. Su filosofía, que era una meditación sobre
el trabajo poético, le había conducido a muy distintas conclusiones y revelado convicciones muy otras que las ya enun-
ciadas. Pensaba mi maestro que la poesía, aun la más amarga y negativa, era siempre un acto vidente, de afirmación de
una realidad absoluta, porque el poeta cree siempre en lo
que ve, cualesquiera que sean los ojos con que mire. El poeta y el hombre. Su experiencia vital—y ¿qué otra experiencia
puede tener el hombre?—le ha enseñado que no hay vivir
sin ver, que solo la visión es evidencia y que nadie duda de
lo que ve, sino de lo que piensa. El poeta—añadía—logra
escapar de la zona dialéctica de su espíritu, irremediablemen-
te escéptico, con la convicción de que ha estado pensando
en la nada, entretenido con ese hueso que le dio a roer la
divinidad para que pudiera pasar el rato y engañar su hambre metafísica. Para el poeta solo hay *ver y cegar, un ver que
se ve,* pura evidencia, que es el ser mismo, y un acto creador, necesariamente negativo, que es la misma nada. De un
modo mítico y fantástico, lo expresaba así mi maestro:

> Dijo Dios: «Brote la Nada.»
> Y alzó su mano derecha
> hasta ocultar su mirada.
> Y quedó la Nada hecha] (11).

(11) *Juan de Mairena...*, XXX.

Como vemos, la Nada machadiana no es la limitación del ser a lo creado, a lo observable, a lo tangible, sino todo lo contrario; es una Nada poblada de ilusiones y animadora al itinerario difícil a través de la vida:

> [Solo la Nada, el gran regalo de la divinidad, puede ser igual para todos. En su dominio empieza, y en él se consuma, el acuerdo posible entre los hombres que llamamos objetividad. En él se inicia también la actividad específicamente humana del sujeto, que es precisamente nuestro pensar de la Nada. Digámoslo todavía de otro modo: Dios sacó la Nada del mundo para que nosotros pudiéramos sacar el mundo de la nada, como ya explicamos o pretendimos explicar en otra ocasión] (12).

Aquí Machado llega a expresarse con una enorme claridad: al estar Dios en la Nada, hay que sacar a este mundo de la nada (así, con minúscula). Esto quiere decir que esta búsqueda de Dios, oculto en su templo de la Nada, es profundamente animadora del itinerario humano hacia más allá de las fronteras de lo verificable.

Al llegar aquí, no podemos menos de establecer la obligada conexión con otro poeta español, rigurosamente antecesor de Antonio Machado: San Juan de la Cruz. «Las experiencias básicas de San Juan—escribe G. Brenan (13)—fueron experiencias místicas, que, como nos dice en sus obras en prosa, carecían casi por completo de impresiones sensoriales o imaginarias. Fueron experiencias de las que nosotros, sus lectores, apenas podemos tener

---

(12) *Consejos, sentencias...*, X.º

(13) *San Juan de la Cruz*. Ed. Laia, Barcelona, 1975, págs. 132 y sg.

74

la más remota concepción. Si la poesía es, como algunos creen, una forma superior de comunicación, nos sentiremos perplejos si hemos de decir qué se comunica.»

San Juan de la Cruz, al igual que Antonio Machado, es un poeta que de alguna manera explica su propia poesía en una prosa de talante filosófico. Y así, en el prólogo a la *Subida* dice de su propia experiencia mística: «Ni basta sciencia humana para lo saber entender ni experiencia para lo saber decir; porque solo el que por ello pasa lo sabrá sentir, mas no decir.» Sobre este mismo tema escribió este villancico:

> «Entréme donde no supe,
> y quedéme no sabiendo,
> toda sciencia trascendiendo.»

Este sentimiento de no comprender su propia experiencia es uno de los temas más recurrentes en San Juan de la Cruz:

> «... era cosa tan secreta,
> que me quedé balbuciendo».

O también:

> «Y déjame muriendo
> un no sé qué quedan balbuciendo.»

Aquí nos tropezamos con uno de los verbos más frecuentes en la poesía y en la prosa de San Juan: «balbucir». Partiendo de esta observación, Brenan añade: «En una impresionante serie de versos *(Subida al Monte Carmelo,* I, 13), San Juan ha expresado la antítesis sobre "todo" y "nada", antítesis que está en la raíz de su pensar y su sentir y que hizo que se le llamase *el doctor de la nada*» (14). Efectivamente, San Juan escribió estas líneas versificadas en «El Calvario» y las envió a las monjas de Beas junto con un dibujo del Monte Carmelo en el que se ven escritas en la cumbre de la primera cresta, al final de la vía purgativa, estas palabras:

«Y en el monte, nada.»

En una palabra: tanto en Juan de Yepes como en Antonio Machado, la búsqueda de la Nada no tiene ninguna significación nihilista, sino todo lo contrario: es una Nada poblada de flores, de pájaros, de fuentes, donde Dios está y espera a los que han oído su «silbo sonoro».

Para uno y para otro—como para la mejor tradición de la teología cristiana—*Dios es gratuito:* Dios es el primer interlocutor del hombre; este no hace más que responder como puede: con «admiración y extrañeza» (Machado), «balbuciendo» (San Juan de la Cruz).

---

(14) *Ob. cit.*, pág. 158.

2. EL CIRCUITO CERRADO DE LA FE

Partiendo de esta visión profunda de la gratuidad de Dios y de su absoluto protagonismo en el diálogo con el hombre, Machado intenta establecer lo que yo llamaría el «circuito cerrado» de esas relaciones dialogales entre Dios y el hombre. Habríamos de tomar como esencial este bello poema:

[Dios no es el mar, está en la mar; riela
como luna en el agua, o aparece
como una vela;
en el mar se despierta o se adormece.
Creó la mar, y nace
de la mar cual la nube y la tormenta;
es el Criador y la criatura lo hace;
su aliento es alma, y por el alma alienta.
Yo he de hacerte, mi Dios, cual Tú me hiciste,
y para darte el alma que me diste

en mí te he de crear. Que el puro río
de caridad que fluye eternamente,
fluya en mi corazón. ¡Seca, Dios mío,
de una fe sin amor la turbia fuente!

El Dios que todos llevamos,
el Dios que todos hacemos,
el Dios que todos buscamos
y que nunca encontraremos.
Tres dioses o tres personas
del solo Dios verdadero] (15).

En primer lugar, vemos cómo de nuevo aparece el mar como
símbolo del más allá absoluto. Sería una nueva expresión poética,
equivalente a la de la Nada, que acabamos de examinar. Eso sí:
[Dios no es el mar], simplemente [está en la mar]. Desde aquí
—desde el mar, desde la Nada—Dios inicia libremente su diálogo
con el hombre. No son unas comunicaciones regulares, sino espo-
rádicas e imposibles de prever: [en el mar se despierta o se ador-
mece], [nace de la mar cual la nube y la tormenta].

En un segundo momento, a pesar de ser Él el Criador, [la criatura lo hace]. El hombre acepta a Dios y, a través de la fe, *lo
profiere*, por así decirlo: Dios aceptado y asimilado se convierte
en una especie de «aliento»; eso sí, un aliento caluroso y vital, no
una mera prolación intelectual-verbal de una fe seca y árida:
[¡Seca, Dios mío, / de una fe sin amor la turbia fuente!]

La última fase del circuito es precisamente [el Dios que todos

---

(15) *Campos de Castilla*, CXXXVII (Parábolas), VI.

buscamos / y que nunca encontraremos]. A pesar de la asimilación que de Dios hace el hombre, Dios sigue siempre trascendiendo; Dios no puede ser agotado jamás por ninguna búsqueda humana. Aún más, destino de la fe es «buscar siempre a Dios sin encontrarlo jamás». Aquí «encontrar» tiene claramente el sentido de posesión intelectual absoluta. En el Nuevo Testamento se presenta a Dios no solamente como «el que es» y «el que era», sino muy esencialmente como «el que ha de venir» (16).

Al llegar aquí, Machado, como hombre concreto y asido a las raíces vitales de su pueblo, se plantea el problema de la religiosidad española y expone asombrosamente estas ideas en su poema «El Dios ibero» (17). Vamos por partes. En primer lugar describe de mano maestra la «fe» de sus paisanos:

> [Igual que el ballestero
> tahúr de la cantiga,
> tuviera una saeta el hombre ibero
> para el Señor que apedreó la espiga
> y malogró los frutos otoñales,
> y un «gloria a ti» para el Señor que grana
> centenos y trigales
> que el pan bendito le darán mañana].

Machado se dispone a describir la «blasfemia» del hombre ibero que se rebela contra un Dios arréglalo-todo. Según hemos visto, la «blasfemia» en sentido machadiano es ya un inicio de fe y de posible encuentro entre el hombre y Dios. En este sentido, la

---

(16) *Ap* 1, 4, 8; 4, 8.
(17) *Campos de Castilla*, CI.

Biblia está llena de semejantes «blasfemias»: desde Job, que interpela amargamente a Dios sobre su inmerecida desgracia, pasando por los profetas y los salmistas, hasta llegar al propio Jesús, que muere en la cruz profiriendo aquella incomprensible queja a Dios: «*Elí, Elí, lemá sabajzaní?* (o sea: Dios mío, ¿por qué me has abandonado?» (18). También el hombre ibero se rebela contra Dios, demostrando que su fe tiene un sentido profundo. Veamos la «biasfemia»:

[Señor de la ruina,
adoro porque aguardo y porque temo:
con mi oración se inclina
hacia la tierra un corazón blasfemo.

¡Señor, por quien arranco el pan con pena,
sé tu poder, conozco mi cadena!
¡Oh dueño de la nube del estío
que la campiña arrasa,
del seco otoño, del helar tardío,
y del bochorno que la mies abrasa!

¡Señor del iris sobre el campo verde
donde la oveja pace,
Señor del fruto que el gusano muerde
y de la choza que el turbión deshace,
tu soplo el fuego del hogar aviva,
tu lumbre da sazón al rubio grano,
y cuaja el hueso de la verde oliva,
la noche de San Juan, tu santa mano!

_____

(18) *Mt* 27, 46.

¡Oh dueño de fortuna y de pobreza,
ventura y malandanza,
que al rico das favores y pereza
y al pobre su fatiga y su esperanza!

¡Señor, Señor: en la voltaria rueda
del año he visto mi simiente echada,
corriendo igual albur que la moneda
del jugador en el azar sembrada!

¡Señor, hoy paternal, ayer cruento,
con doble faz de amor y de venganza,
a Ti, en un dado de tahúr al viento
va mi oración, blasfemia y alabanza!]

Este es el «dios ibero»: el Dios-providencia que se supone siempre detrás de todos los acontecimientos de la Naturaleza y de la
Historia como inmediato justificador de todos ellos. Era también
el «Dios» que en el bellísimo poema bíblico del Antiguo Testamento querían imponer al «santo Job» sus amigos y su propia
mujer; en efecto, si a Job le habían caído encima aquellas cala-
midades, debería ser a causa de algunos pecados cometidos por
él: así *cuadraba* la visión providencialista de un Dios, y lo sigue
alabando a pesar de todo; eso sí, reconociendo que su conciencia
está limpia de pecado. Su propia mujer, irritada, llega a abando-
narlo en el estercolero con esta frase fríamente atea: «Sí, ¡alaba
a Dios... y muérete!» (19). No olvidemos tampoco que Job, para
vencer la tentación del «dios a la medida del hombre», tiene que
pasar también por el túnel misterioso de la «blasfemia» (20).

---

(19) *Job* 2, 9.
(20) *Job* 3, 1-26.

Pues bien: según Machado, en el fondo de esta fe degradada del hombre ibero hay un germen de resurrección, que se debe precisamente a la capacidad de «blasfemia» que tiene: [a Ti en un dado de tahúr al viento / va mi oración, blasfemia y alabanza!]. O sea, Dios se iba insinuando al hombre ibero a través del único itinerario: el de la gratuidad: [un dado de tahúr al viento].

Por eso el poeta sevillano intenta descubrir, en la segunda parte del poema, aquellas simientes de fe verdadera en la actitud religiosa del hombre ibero:

> [Este que insulta a Dios en los altares,
> no más atento al ceño del destino,
> también soñó caminos en los mares
> y dijo: es Dios sobre la mar camino.
>
> ¿No es él quien puso a Dios sobre la guerra,
> más allá de la suerte,
> más allá de la tierra,
> más allá de la mar y de la muerte?
>
> ¿No dio la encina ibera
> para el fuego de Dios la buena rama,
> que fue en la santa hoguera
> de amor una con Dios en pura llama?]

Este es el punto de partida para la verdadera «fe»: «soñar caminos en los mares» y «decir: es Dios sobre la mar camino». De nuevo reaparecen aquí dos constantes machadianas: el *sueño* y el *mar*. La verdadera relación de Dios con el hombre queda simbolizada por el sueño, ya que entonces el hombre recibe, y Dios es

el protagonista. Además, se trata de soñar a Dios caminando sobre el mar: Dios es de nuevo la «Nada», el «mar» del más allá,
donde El se mueve como en su propio espacio, ya que el «mar»
no es el nirvana búdico, sino el paraíso cristiano, donde hay mo-
vimiento transhistórico.

Además, el hombre ibero ha empezado ya a [poner a Dios sobre la guerra, más allá de la suerte, más allá de la mar y de la
muerte]. Dios ha dejado de ser el justificador del éxito o del
fracaso de las empresas, el garantizador de la suerte, el «buen
papá de allá arriba» que dirige la buena o la mala marcha de las
cosechas e incluso el responsable—a corto plazo—de la propia tragedia de la muerte.

Por eso Machado cree que el hombre ibero está dispuesto a
emprender la tercera fase del circuito cerrado de la fe: la aven-
tura quijotesca de ir buscando a un Dios que jamás encontrará:

> [Mas hoy... ¡Qué importa un día!
> Para los nuevos lares
> estepas hay en la floresta umbría,
> leña verde en los viejos encinares.
>
> Aún larga patria espera
> abrir al corvo arado sus besanas;
> para el grano de Dios hay sementera
> bajo cardos y abrojos y bardanas.
>
> ¡Qué importa un día! Está el ayer alerto
> al mañana, mañana al infinito,

hombres de España: ni el pasado ha muerto,
ni está el mañana—ni el ayer—escrito.

¿Quién ha visto la faz al Dios hispano?
Mi corazón aguarda
al hombre ibero de la recia mano,
que tallará en el roble castellano
al Dios adusto de la tierra parda.]

Toda fe auténtica es ya, por ello mismo, esperanza. Es el caso
de Machado: ese Dios gratuito, ese Dios que inicia libremente el
diálogo con el hombre, está pujando por salir del fondo de la tierra hispana, contaminada por la previa fumigación de un «dios
a la medida del hombre»: [para el grano de Dios hay sementé-
ra / bajo cardos y abrojos y bardanas].

La fe en el Dios gratuito lo relativiza todo: el ayer, el presente
y el mañana: [... ni el pasado ha muerto, / ni está el mañana—ni
el ayer—escrito]. Todo integrismo que intente absolutizar o la
tradición o la ausencia de la tradición es un verdadero a-teísmo,
ya que nadie [ha visto la faz al Dios hispano]. En todo caso, el
poeta se lo imagina (¡qué remedio le queda!) como [al Dios adusto
de la tierra parda]. El gran teólogo suizo Karl Barth, casi al mismo tiempo que Antonio Machado, describía a Dios—sin describir-
lo por eso—como el «Completamente Otro».

3. EL «COMPLETAMENTE OTRO», GARANTIZADOR DE LA COMUNION HUMANA

Como acabamos de ver, para Machado la «Nada» como creación y como templo de Dios implica precisamente la «otredad» y, a través de ella, garantiza nada menos que la intercomunión humana:

[Solo la Nada, el gran regalo de la divinidad, puede ser igual para todos. En su dominio empieza, y en él se consuma, el acuerdo posible entre los hombres, que llamamos objetividad] (21).

Partiendo de esta robusta afirmación, Machado llega a admitir la imposibilidad de que entre los hombres se realice ningún proyecto de intercomunión sin tener como firme punto de referencia

_____

(21) *Consejos, sentencias...*, IX.º

esta fe en el «Completamente Otro». Aún más, ve inviable incluso la realización de un «comunismo ateo», que él considera contradictorio en los propios términos:

[Un comunismo ateo será siempre un fenómeno social muy de superficie. El ateísmo es una posición esencialmente individualista: la del hombre que toma como tipo de evidencia el de su propio existir, con lo cual inaugura el reino de la nada, más allá de las fronteras de su yo. Este hombre, o no cree en Dios, o se cree Dios, que viene a ser lo mismo. Tampoco este hombre cree en su prójimo, en la realidad absoluta de su vecino. Para ambas cosas carece de la visión o evidencia de lo otro, de una fuerte intuición de *otredad*, sin la cual no se pasa del yo al tú. Con profundo sentido, las religiones superiores nos dicen que es el desmedido amor de sí mismo lo que aparta al hombre de Dios. Que le aparta de su prójimo va implícito en la misma afirmación Pero hay momentos históricos y vitales en que el hombre solo cree en sí mismo, se atribuye la aseidad, el ser por sí; momentos en los cuales le es tan difícil afirmar la existencia de Dios como la existencia, en el sentido ontológico de la palabra, del sereno de su calle. A este *self-made-man* propiamente dicho; a este hombre que no se casa con nadie, como decimos nosotros; a este mónada autosuficiente no le hable usted de comunión, ni de comunidad, ni aun de comunismo. ¿En qué y con quién va a comulgar este hombre?] (22).

En la terminología machadiana, «comunismo» tiene una amplitud y vastedad que supera a los diversos proyectos históricos

(22) *Juan de Mairena...*, XXXIII.

que se realizan en orden al logro de una sociedad verdaderamente «comunista». Para Machado, una visión «comunista» lleva fatalmente consigo el replanteamiento del problema de Dios; cosa que no pasa en una visión de existencialismo individualista (el *solus ipse*):

> [Cuando le llegue, porque le llegará, el inevitable San Martín al *solus ipse,* porque el hombre crea en su prójimo, el yo en el tú, y el ojo que ve en el ojo que le mira, puede haber comunión y aun comunismo. Y para entonces estará Dios en puerta. Dios aparece como objeto de comunión cordial que hace posible la fraterna comunidad humana] (23).

Al llegar aquí, Machado prevé con enorme lucidez la objeción rutinaria del lector: siempre se ha dicho que la fe es algo íntimo que pasa entre Dios y la conciencia humana: ¿cómo, pues, suponer que la fe en Dios es casi necesaria para la comunión fraterna?

> [Algunos—añade Mairena—nos atrevimos a objetar al maestro: «Siempre se ha dicho que la divinidad se revela en el corazón del hombre, de cada hombre, y que, desde este punto de mira, la creencia en Dios es posición esencialmente individualista»] (24).

La respuesta es contudente:

> [Toda revelación en el espíritu humano—si se entiende por espíritu la facultad intelectiva—es revelación de lo otro,

---

(23) *Juan de Mairena...,* XXXIII.

(24) *Ibídem.*

de lo esencialmente otro, la equis que nadie despeja—llamémosle hache—, no por inagotable, sino por irreductible en calidad y esencia a los datos conocidos, no ya como lo infinito ante lo limitado, sino como lo otro ante lo uno, como la posición inevitable de términos heterogéneos, sin posible denominador común. Desde este punto de vista, Dios puede ser la *alteridad trascendente* a que todos miramos] (25).

Con esto Machado está combatiendo toda forma de *racionalismo teológico*, o sea, el intento de reducir el problema de Dios a un simple hallazgo, rigurosamente científico, de la razón humana. Sería el «dios a la medida del hombre», ya que la «revelación» implica de suyo un desvelamiento, un punto de partida desde la acera de enfrente: desde lo «otro». Machado rechaza la imagen del «dios aristotélico», que, además de absolutamente ilusorio, lo encuentra incompatible con el ritmo vital humano:

[*El velado creador de nuestra nada*, un Dios vuelto de espaldas, como si dijéramos, y en quien todos comulgamos, pero no cordial, sino intelectivamente, el Dios aristotélico de quien decimos que se piensa a sí mismo, porque, en verdad, no sabemos nada de lo que piensa. Pero Dios revelado en el corazón del hombre... «Palabras son estas—observó Mairena—demasiado graves para una clase de Retórica. Dejemos, no obstante, acabar a mi maestro, que no era un retórico y nada aborrecía tanto como la Retórica.» Dios revelado, o desvelado, en el corazón del hombre es una otredad muy otra, una otredad inmanente, algo terrible, como el ver demasiado cerca la cara de Dios. Porque es allí, en el cora-

_____
(25) *Juan de Mairena...*, XXXIII.

88

zón del hombre, donde se toca y se padece otra otredad divina, donde Dios se revela al descubrirse, simplemente al mirarnos, como un *tú de todos*, objeto de comunión amorosa que de ningún modo puede ser un *alter ego*—la superfluidad no es pensable como atributo divino—, sino un *Tú* que es *El*] (26).

Ahora bien: tan fuerte es el vínculo que el poeta sevillano ve entre «Dios» (el «Dios gratuito») y la misma evolución de la sociedad, que no concibe un cambio sustancial de esta sin que previa y causalmente no haya habido un «cambio de dioses»:

[El gran pecado que los pueblos no suelen perdonar es el que se atribuía a Sócrates, con razón o sin ella: el de introducir nuevos dioses. Claro es que entre los dioses nuevos hay que incluir a los viejos, que se tenía más o menos decorosamente jubilados. Y se comprende bien esta hincha a los nuevos dioses, que lo sean o que lo parezcan, porque no hay novedad de más terribles consecuencias. Los hombres han comprendido siempre que sin un cambio de dioses todo continúa aproximadamente como estaba, y que todo cambia, más o menos catastróficamente, cuando cambian los dioses] (27).

Esta tesis machadiana les parece a muchos un puro fruto de un idealismo alienante, ya que *científicamente* se puede demostrar que los «dioses» son una pura superestructura del entramado de la historia humana y, por tanto, son meros reflejos *a posteriori*

---

(26) *Juan de Mairena...*, XXXIII.
(27) *Juan de Mairena...*, XXIX.

de la infraestructura, fundamentalmente económica, que dirige invariablemente el timón de la historia humana, que sería sustancialmente la historia de la diversidad de las relaciones de producción.

A esta objeción contesta Machado aportando una fina intuición: también esa nueva «infraestructura», tan aséptica ella y tan secular, está ligada a esa ley inexorable de la presencia de los dioses. Eso sí, esta vez los dioses no aparecen como tales, sino que se esconden bajo otras formas: son dioses *apócrifos:*

[Porque se avecinan tiempos duros, y los hombres se aperciben a luchar—pueblos contra pueblos, clases contra clases, razas contra razas—, mal año para los sofistas, los escépticos, los desocupados y los charlatanes. Se recrudecerá el pensar pragmatista, quiero decir el pensar consagrado a reforzar los resortes de la acción. ¡Hay que vivir! Es el grito de bandera, siempre que los hombres se deciden a matarse. Y la chufla de Voltaire: *Je n'en vois pas la nécessité* no hará reír, ni, mucho menos, convencerá a nadie. Y esta cátedra mía—la de Retórica, no la de Gimnasia—será suprimida de real orden, si es que no se me persigue y condena por corruptor de la juventud. O por enemigo de los dioses. De los dioses en que no se cree. Porque no hay que olvidar lo que tantas veces dijo mi maestro: «Nada hay más temible que el celo sacerdotal de los incrédulos.» Dicho de otro modo: «Que Dios nos libre de los dioses apócrifos», en el sentido etimológico de la palabra: de los dioses ocultos, secretos, inconfesados. Porque estos han sido siempre los más crueles, y, sobre todo, los más perversos; ellos dictan los sacrificios que se ofrendan a los otros dioses, a los dioses de culto oficialmente reconocido] (28).

Esta intuición machadiana yo mismo la he descubierto después de haber hecho afirmaciones en este mismo sentido desde mi modesto esfuerzo de comprensión teológica. Me permito copiarme los últimos párrafos de mi libro *Dios es gratuito, pero no superfluo* (29):

«En una sociedad sacralizada los dioses visten de dioses: con sus ropajes sagrados, sus mitras, sus opalandas y sus aureolas. Nadie se llama a engaño. La alienación religiosa es clara y patente.

»Pero en una sociedad secularizada la presencia de los dioses disfrazados reviste un peligro francamente mayor.

»Los cristianos hemos de soportar a pie firme las justísimas recriminaciones que desde otras orillas se han lanzado contra nosotros, acusándonos de promotores de una auténtica alienación religiosa. Creo que los últimos años han sido testigo de posturas sincerísimas y de revisiones radicales, en virtud de las cuales los cristianos están dispuestos a someterse a un tribunal serio e imparcial que analice su comportamiento religioso y las consecuencias—negativas o positivas—en orden a una auténtica praxis revolucionaria constructiva.

»Los clásicos del marxismo—sobre todo, Engels—han reconocido siempre no solo la posibilidad, sino el hecho de que enormes

---

(28) *Juan de Mairena...*, XXIV.

(29) Ed. Marova, Madrid, 1970, págs. 130 y sgs.

masas creyentes se han embarcado en empresas revolucionarias, impulsadas positivamente por su fe religiosa. Teólogos y obispos han declarado recientemente que el Evangelio había sido secuestrado por la clase dominante e indebidamente instrumentalizado para encubrir el comportamiento egoísta, ambicioso y opresor de las oligarquías financieras, políticas, culturales e imperialistas.

»Desde esta postura, radicalmente sincera, han creído que su fe cristiana, lejos de frenar su inmersión en la praxis revolucionaria por una sociedad nivelada y desclasada, los impulsaba a comprometerse con ella sin ningún género de tabú que no sea el propio freno de la promoción humana. Pero ¿cuál podría ser la aportación positiva y específica de los creyentes en esta total incorporación a la praxis seriamente revolucionaria? Yo diría que, a más del precioso bagaje de la moral evangélica—amor universal, fraternidad sin límites, aceptación previa de cualquier prójimo—, los creyentes que sobreviven en la sociedad secularizada tienen muy agudizado el instinto que les hace descubrir ídolos por todos los rincones de la nueva praxis.

»Un auténtico creyente no acepta otro dios que el único Dios trascendente, el totalmente Otro, el Dios gratuito e imprevisible. Es un Dios celoso, como nos dice constantemente la Biblia. No admite rivales en torno a sí.

»Los primeros cristianos murieron gritando: "Cristo es el Señor", y resistiéndose a proclamar: "El césar es el Señor."

»Aun en la ruta que lleva a la construcción del socialismo surgen inesperadamente nuevos "señores", deportivamente disfrazados, disimulando hábilmente su verdadera condición de nuevos "dioses".

»Si los cristianos agudizáramos nuestro instinto anti-idólico, podríamos así reparar—aunque fuera mínimamente—el enorme freno de alienación religiosa que nuestro comportamiento anterior —y todavía presente en grandes sectores—puso en el ritmo del progreso humano y social que, traicionando al Evangelio, hemos anatematizado tantas veces.

»En una palabra, unámonos todos los hombres de buena voluntad en una gigantesca lucha contra todos los dioses que, bajo cualquier disfraz, amenacen al mismo tiempo la autonomía prometeica de la humanidad y la trascendencia y gratuidad del único Dios verdadero.»

Finalmente, yo creo que en lenguaje «maireniano» tendríamos que hablar del peligro de los «dioses vestidos de paisano».

RESUMEN

La vivencia que de Dios tiene Machado es profundamente coherente y puede resumirse en estos puntos:

1) Dios es absolutamente gratuito. Por eso es El el que inicia el diálogo con el hombre: para subrayar mejor este protagonismo de Dios se acude a la imagen del sueño, ya que en él el hombre es meramente un «respondedor». Con otra imagen, a Dios se presenta como creador de la Nada y como residiendo en su templo de la Nada; ahora bien: tanto en Antonio Machado como en su riguroso antecesor San Juan de la Cruz, la búsqueda de la Nada no tiene ninguna significación nihilista, sino todo lo contrario: es una Nada poblada de flores, de pájaros, de fuentes, donde Dios está y espera a los que han oído su «silbo sonoro».

2) La fe funciona en un circuito cerrado en tres fases:

a) Dios como absoluto punto de partida: Dios en el mar.

b) Asimilación de Dios por parte del hombre, que de alguna manera «crea» a Dios, no de una forma puramente intelectual, sino vital y amorosa.

c) La fe asimilada no es una fe poseída y cerrada sobre sí misma, sino abierta a nuevas aventuras: a Dios nunca se le acaba de encontrar.

Machado, analizando al «Dios ibero»: a) en primer lugar, critica la visión de un «Dios arréglalotodo»; b) descubre los gérmenes de una fe hispana en el Dios gratuito, y c) espera firmemente en una primavera de este Dios gratuito: [El Dios adusto de la tierra parda].

3) El Dios gratuito—el «Completamente Otro»—es el único que puede garantizar todo esfuerzo de comunión fraterna entre los hombres (incluso el comunismo).

a) El hombre sin Dios se convierte en nómada y resiste la comunión.

b) Pero el «dios aristotélico» (racionalismo teológico) no es el garantizador de la comunión fraterna.

c) Los cambios sociales (de «comunión») están sustancialmente vinculados a los cambios de *dioses*, aunque estos se vistan de paisano.

III. CRISTO

Si el problema de la fe como procedimiento y del contenido de esa fe—Dios—es un punto de partida en la teología machadiana, la visión de Cristo—«el Cristo», como siempre dice quizá por influencia de Unamuno—ocupa el centro de sus reflexiones vitales a este respecto.

1. LA IMAGEN DE CRISTO

Lo primero que preocupa a Machado, como preocuparía a cualquier buen fenomenólogo o sociólogo, es la constatación de que Cristo ha sido reproducido, a lo largo de los siglos, en diversas imágenes que tergiversan e incluso invierten su propia realidad histórica y su misteriosa encarnación de lo divino.

Así se explica que demuestre esa profunda alergia a Nietzsche y a los pensadores alemanes de finales del siglo XIX:

> [Leyendo a Nietzsche, decía mi maestro Abel Martín—sigue hablando Mairena a sus alumnos—, se diría que es el Cristo quien nos ha envenenado. Y bien pudiera ser lo contrario—añadía—: que hayamos nosotros envenenado al Cristo en nuestras almas. Los alemanes, grandes pensadores, portentosos metafísicos y medianos psicólogos—aunque sepan más Psicología que nadie—, nos deben una reivindicación de

la esencia cristiana. Y seguramente nos la darán. Pero al Cristo no lo entenderán nunca como nuestro gran D. Miguel de Unamuno] (1).

Más adelante veremos en qué consiste la diferencia de imágenes de Cristo, según la óptica de Machado y la de Unamuno, su entrañable amigo. Por ahora nos interesa subrayar la atención que Machado concede a la posibilidad de distorsión de la imagen de Cristo. En esta misma línea se mueve cuando compara el decadente barroquismo cristológico contemporáneo con la robusta visión que de Cristo tenían creyentes (y poetas) de la talla de Juan de la Cruz y Teresa de Cepeda:

> [¡Teresa, alma de fuego,
> Juan de la Cruz, espíritu de llama,
> por aqui hace mucho frío, padres, nuestros
> corazoncitos de Jesús se apagan!] (2).

Concretando más descubrimos que para Machado el parámetro de la autenticidad de la imagen de Cristo pasa inexorablemente por el amor fraterno: un Cristo que sea presentado como signo de lo contrario es necesariamente un Cristo sacrílegamente falsificado:

> [*Si vis pacem, para bellum,* dice un consejo latino algo superfluo, porque el hombre es por naturaleza peleón y para guerrear está siempre más o menos *paratus*. De todos modos, el latín proverbial solo conduce, como tantos otros lati-

---

(1) *Juan de Mairena...,* XLI.

(2) *Campos de Castilla,* CXXXVI (Proverbios y cantares), XX.

nes, a un callejón de difícil salida: en este caso, a la carrera de armamentos, cuya meta es la guerra.

Más discreto sería inducir a los pueblos a preparar la paz, a apercibirse para ella y, antes que nada, a quererla, usando de sentencias menos paradójicas. Por ejemplo: *si quieres la paz, procura que tus enemigos no quieran la guerra;* dicho de otro modo: *procura no tener enemigos,* o lo que es igual: *procura tratar a tus vecinos con amor y justicia.* Bien comprendo que esto nos llevaría en última instancia a sacar el Cristo a relucir, lo cual después de Nietzsche es cosa de mal gusto, propia de sacristanes y de filisteos, en opinión de muchos sabihondos que no han advertido todavía cómo los filisteos y los sacristanes no suelen sacar el Cristo en función amorosa, sino para bendecir los cañones, las bombas incendiarias y hasta los gases homicidas. Comprendo también que las sentencias más discretas y mejor intencionadas pudieran no llevarnos inevitablemente a la paz. Pero ¿qué sabemos de una sociedad cristiana con menos latín—el latín es uno de los grandes enemigos del Cristo—y más sentido común que la nuestra?] (3).

Esta es para Machado la única imagen auténtica de Cristo: la que simbolice y comprometa al amor. La otra imagen—la de los filisteos—es una falsificación hipócrita y se descubre por el intentó sacrílego de manipular el nombre de Cristo para bendecir la destrucción del hombre por el hombre, teniendo en cuenta, claro está, que el primer hombre que inicia la destrucción del otro hombre es precisamente el hombre de la clase dominante. Natural-

---

(3) *Consejos, sentencias...,* VIII.º

mente, esta imagen no puede ser expuesta descaradamente a los ojos del público, y por eso viene envuelta en la nebulosa de un lenguaje que el pueblo no puede entender: [el latín es uno de los grandes enemigos del Cristo].

Y para que no haya duda en la intención del poeta, Machado reconoce plenamente que Cristo no es el fruto de ninguna fantasía humana—ni de derechas ni de izquierdas—, sino resultado de un misterioso y eterno proyecto del mismo Dios:

[Aunque Judas no hubiese existido, el Cristo habría sido entregado, primero, y crucificado, después. El mismo amor de sus discípulos, la ingenuidad de Pedro... ¡Quién sabe! De todos modos, la tragedia divina se habría consumado, porque tal era la voluntad más alta. Os digo esto sin la más leve intención de exculpar o defender a Judas Iscariote. Porque hasta ahí no podemos llegar] (4).

Es lástima que Machado no hubiera podido hacer una buena lectura de las Cartas de Pablo a los Colosenses y a los Efesios, donde precisamente se presentan la figura y la realidad del Cristo histórico, no como el resultado de una contingencia histórica, sino como un eterno designio de Dios; designio que Pablo llama «misterio», porque, aunque lo adora profundamente, no llega a «comprenderlo».

La intuición—y la fe—de nuestro poeta lo ha preparado para hacer afirmaciones de tan honda raigambre teológica y tan estrictamente centradas en lo más nuclear del misterio cristiano, o sea: *Cristo, proyecto de Dios antes de todos los siglos.*

---

(4) *Juan de Mairena...*, XXVII.

2. CRISTO, DIOS

Machado nunca duda lo más mínimamente de la divinidad de
Cristo: solamente demuestra su vacilación sobre el momento de la
que pudiéramos llamar «divinización» de Jesús: ¿fue desde el comienzo de su historia humana? ¿O solamente al final de ella? Sin
embargo, esto para él es muy secundario, dado que lo fundamental es admitir que Jesús es Dios:

[Sobre la divinidad de Jesús he de deciros que nunca he
dudado de ella. O el Cristo fue el divino Verbo encarnado
milagrosamente en las entrañas virginales de María, y salido
al mundo para expiar en él los pecados del hombre, que es
la versión ortodoxa, difícil de comprender, pero no exenta
de fecundidad; o fue, por el contrario, el hombre que se hace
Dios, *deviene* Dios para expiar en la Cruz los pecados más
graves de la divinidad misma, que es la versión heterodoxa,
y no menos profunda, de mi maestro. Como veis, ambas po-

nen a salvo la divinidad de Jesús. Sobre las dos habéis de meditar, bien con el propósito de conciliarlas, salvando, no ya la divinidad, que por sí misma se salva, sino el origen divino del Crucificado, bien, si ello fuere posible, con el valor suficiente para eliminar una de ellas y ver en la otra el hecho cristiano en toda su pureza] (5).

El tropiezo, para una buena lectura de este texto, es el rasgo, ciertamente humorístico, en virtud del cual Machado avanza la «hipótesis de trabajo», según la cual Cristo fue [el hombre que se hace Dios, deviene Dios, para expiar en la Cruz los pecados más graves de la divinidad]. Aurora de Albornoz (6), partiendo del supuesto de que Dios sería para Machado la «naturaleza consciente», opina que aquí la «divinidad» es precisamente esa naturaleza consciente del hombre, y algo que, por tanto, tiene que pagarse: «La divinidad—observa A. de Albornoz—, es decir, la conciencia, se paga: el pecado del conocimiento es una culpa que en todas las religiones lleva su castigo. Para expiar ese pecado, el hombre Cristo, acaso, murió en la Cruz: para redimirse de lo que llevaba de Dios.».

Honestamente tengo que reconocer que me parece muy difícil de encajar en la «teología» machadiana, tal como se ha analizado en los dos capítulos precedentes, esa idea de que la divinidad se reduce a la «naturaleza consciente del hombre»: para Machado, Dios está siempre el primero; solamente después de su aparición, de su desvelamiento al hombre, este lo «recrea», por así decirlo, pero consciente de que su obra es siempre imperfecta, ya que

---

(5) *Consejos, sentencias...*, III.º (Sobre una filosofía cristiana).

(6) *Ob. cit.*, pág. 274.

Dios no se deja «encontrar» definitivamente por el hombre durante el itinerario histórico: Dios es siempre mayor que el hombre y no puede agotarse en ninguna reflexión, en ninguna «teologia» humana.

Más bien creo que aquí Machado está pensando en la «divinidad», no como Dios en sí, sino como la imagen o las imágenes que de Dios han pretendido hacer los hombres, y que tan funestas consecuencias han producido a lo largo de la Historia. Por eso quizá utiliza el sustantivo abstracto «la divinidad». En este sentido, el hecho de que Cristo sea Dios es como una garantía contra las futuras falsificaciones de la divinidad: desde entonces ya era posible tener un criterio seguro para saber dónde estaba Dios, ya que Cristo es un hombre visible, que ha hablado con su boca y que se ha acercado a la realidad humana tal cual es. «Dios» deja de ser una idea lejana, manipulable por filósofos desaprensivos, para convertirse en un ser humano al alcance de cualquiera. Que este era el pensamiento de Machado lo indica la continuación inmediata del párrafo anteriormente citado:

> [Para mí es evidente—sigue hablando Mairena a sus alumnos—que el Cristo trajo al mundo, entre otras cosas, un nuevo tema de reflexión, sobre el cual no hemos meditado bastante todavía. Por esta razón, creo yo en una filosofía cristiana del porvenir, la cual nada tiene que ver—digámoslo sin ambages—con esas filosofías católicas, más o menos embozadamente eclesiásticas, con que hoy, como ayer, se pretende enterrar al Cristo en Aristóteles. Se pretende, he dicho, no que se consiga, porque el Cristo—como pensaba mi maestro—no se deja enterrar] (7).

_____

(7) *Consejos, sentencias...*, III.º (Sobre una filosofía cristiana).

Como vemos, Machado está alerta ante la nueva tentativa de «enterrar a Cristo», sobre todo a través de ciertas filosofías (mejor dicho, «teologías») de tipo marcadamente racionalista, que volverían a desfigurar la imagen de la divinidad. Pero el hecho único en la Historia es que [Cristo no se deja enterrar]. Y Cristo no se deja enterrar porque sigue estando presente en el alma del pueblo:

> [Nosotros partiríamos de una investigación de lo esencialmente cristiano en el alma del pueblo, quiero decir en la conciencia del hombre, impregnada de cristianismo. Porque el cristianismo ha sido una de las grandes experiencias humanas, tan completa y de fondo que, merced a ella, el *zoon politikón* de Aristóteles se ha convertido en un *ente cristiano* que viene a ser aproximadamente el hombre occidental] (8).

En otras palabras: las garantías con que Cristo se defiende contra sus pretendidos enterradores pertenecen de lleno al alma popular: es aquí donde cristo podrá sobrevivir a pesar de todos los «santos entierros» que sumos sacerdotes, escribas y fariseos irán montando lujosamente en sus liturgias evasivas y egoístas.

Por eso, Machado, haciendo un sutil sondeo en la ideología nietzscheana del «superhombre», reconoce que la resistencia a reconocer la divinidad de Cristo no puede provenir sino de una mentalidad pigmea. Cristo no ha robado bastantes energías al hombre: mientras más le robe, más humano será el hombre:

> [Ladrón de energías, llamaba Nietzsche al Cristo. Y es

---

(8) *Consejos, sentencias...*, III.º (Sobre una filosofía cristiana).

lástima que no nos haya robado bastante. Siempre estimé como de gusto deplorable y muestra de pensamiento superficial el escribir contra la divinidad de Jesucristo. Es el afán demoledor de los pigmeos que no admiten más talla que la suya] (9).

Finalmente, Machado reconoce la divinidad de Cristo precisamente en su capacidad de evangelizar a todos y siempre:

[Para hablar a muchos no basta ser orador de mitin. Hay que ser, como el Cristo, hijo de Dios] (10).

---

(9) *Consejos, sentencias...*, XV°.

(10) *Juan de Mairena...*, XXIV.

3. CRISTO, DEFINITIVAMENTE DESENCLAVADO

El culmen, por así decirlo, de la cristología machadiana se encuentra alrededor de su visión obsesiva de Cristo *realmente* resucitado y, por consiguiente, *definitivamente* desenclavado de la cruz. Por eso se yergue animosamente contra el intento de presentar a Cristo como el divino crucificado, haciendo de esta coyuntura—importantísima y esencial, por supuesto—de su historia el final trágico de su mensaje. Y es tan fuerte este impulso de Machado en su fe en Cristo resucitado, que no teme desvincularse de su amigo y maestro (yo diría más bien «director espiritual») Miguel de Unamuno. Veámoslo:

[Una filosofía cristiana (hubiera comentado Juan de Mairena) que no pretenda enterrar nuevamente al Cristo en Aristóteles parece imposible en España, sobre todo después de Unamuno, que tanto ha hecho patente su propósito de liberar al Cristo de la garra del Estargirita, que tanto hizo por desenclavarlo de esa cruz en que todavía lo tiene Roma y donde seguramente no hubiera él gustado de mostrarnos su agonía. Cierto que Unamuno no le restituye a su verdadera Cruz, aquella en que fue realmente enclavado y a aquella otra más duradera en que San Pablo lo enclavó para siglos. Porque después de San Pablo ha sido difícil que el Cristo vuelva a asentar sus plantas sobre la tierra, como quisiéramos los herejes, los reacios al culto del Cristo Crucificado] (11).

Como veremos más adelante, Machado acusa una deficientísima información sobre el contenido de la Biblia, tanto Antiguo como Nuevo Testamento: era casi lógico en aquella época de verdadero oscurantismo bíblico. Así se explica que acepte sin más el latiguillo de que San Pablo hubiera subrayado el culto a Cristo crucificado en el sentido en que él lo rechaza. Para San Pablo, la muerte de Cristo no tiene sentido si no es un puente hacia la vida obtenida en la resurrección: una buena lectura de la primera Carta a los Corintios hubiera entusiasmado indudablemente al poeta sevillano.

Siguiendo adelante en esta ruta de la esencial valoración de la resurrección de Cristo, nos encontramos con una especie de auto-exegesis, en virtud de la cual Machado se explica claramente sobre el pretendido «pecado de la divinidad»:

[Cierto, decía mi maestro, que si el Cristo no hubiera muerto entre nosotros, la divinidad no tendría la experiencia humana que se propuso realizar y sabría del hombre tan

---

(11) *Consejos sentencias...*, XVI.º-I.

poco como los dioses paganos. La muerte del Cristo, seguida de su resurrección, fue comentada por los dioses del Olimpo como por los sabios, más tarde, aquella ocurrencia entre genial y cazurra del *huevo de Colón.* Ellos, los dioses, tan diestros en toda suerte de transformaciones y disfraces, no habían caído en que también podía morir un inmortal... resucitando al tercer día] (12).

Efectivamente, para Machado el pecado de la «divinidad» no se refería al Dios trascendente y gratuito que se le ha revelado a su conciencia y que se ha encarnado definitivamente en el hombre Jesús, sino a los avatares históricos de las diversas imágenes de la divinidad que han concebido y creado los hombres para justificar sus egoísmos. Jesús, hombre-Dios, muerto y resucitado burla todas las imaginaciones posibles de la sociedad humana, sobre todo de su clase dominante.

Esta clase dominante es la que ha logrado, a lo largo de los siglos cristianos, algo que el mismo Jesús rechazaba enérgicamente: ser convertido en una divinidad lejana y ausente, que justificara el fatalismo del dolor y de la opresión:

[Acaso tenga alguna razón el Gran Inquisidor de Dostoievski. Creo, sin embargo, que contra el hábito de curar con lo semejante propio de nuestra ética pagana ha de darnos el Cristo todavía algunas útiles lecciones alopáticas. Y el Cristo volverá—creo yo—cuando le hayamos perdido totalmente el respeto; porque su humor y su estilo vital se avienen mal con la solemnidad del culto. Cierto que el Cristo se

---

(12) *Consejos, sentencias...,* VIII.º

dejaba adorar, pero en el fondo le hacía poca gracia. Le estorbaba la divinidad—por eso quiso nacer y vivir entre los hombres—, y si vuelve, no debemos recordársela. Tampoco hemos de recordarle la Cruz... Aquello debió de ser algo horrible, en efecto. Pero ¡tantos siglos de crucifixión! Volverá el Cristo a nacer entre nosotros, los escépticos, que guardamos todavía un rescoldo de buena fe. Todo lo demás es ceniza; no sirve ya para la nueva hoguera] (13).

Es curioso observar que en las primitivísimas comunidades cristianas se planteaba ya este problema, del que Machado nos habla a su aire. Se trataba, en efecto, de hacer de Cristo resucitado un ser lejano y puramente celestial, al que se le rodearía de toda clase de espléndido culto, pero al que prácticamente se le impediría su presencia vigilante y misteriosa en los avatares cotidianos de las comunidades cristianas A lo largo del Evangelio de Marcos y del epistolario paulino es tan obsesiva esta visión, que casi podemos describir y tipificar las infraestructuras eclesiales, donde se desarrollaba este tipo de polémica. Así, por ejemplo, la comunidad de Cesarea de Palestina (en cuyo seno nació probablemente el segundo Evangelio) insiste en este retorno de Cristo resucitado a la comunidad, contra los conatos de otras comunidades—como la de Jerusalén—, para las cuales Cristo era solamente un objeto de adoración y de recuerdo: su resurrección no era un desenclavamiento de la cruz, sino más bien una fijación en el nicho—eso sí, único—donde se adora a un Dios crucificado.

Machado es duro y tenaz en la proclamación de su fe en el Cristo «desenclavado» definitivamente de la Cruz, cuando, a costa

---

(13) *Consejos, sentencias...*, VIII.º

del desgarramiento de su espíritu andaluz, escribe su poema «La Saeta»:

> «¿Quién me presta una escalera
> para subir al madero,
> para quitarle los clavos
> a Jesús el Nazareno?»
>
> *(Saeta popular.)*
>
> [¡Oh, la saeta, el cantar
> al Cristo de los gitanos,
> siempre con sangre en las manos,
> siempre por desenclavar!
> ¡Cantar del pueblo andaluz,
> que todas las primaveras
> anda pidiendo escaleras
> para subir a la cruz!
> ¡Cantar de la tierra mía,
> que echa flores
> al Jesús de la agonía,
> y es la fe de mis mayores!
> ¡Oh, no eres tú mi cantar!
> ¡No puedo cantar, ni quiero
> a ese Jesús del madero,
> sino al que anduvo en el mar!] (14).

Ya sabemos lo que para Machado significa «andar en el mar», o sea, moverse en el misterio del más allá, en el que se cree a pie juntillas. La devoción exclusiva al [Jesús del madero] parece como

---

(14) *Campos de Castilla,* CXXX (La Saeta).

que reduce la presencia y la acción de Cristo a esta realidad histórica en la que nos movemos; pero, además, esta influencia intrahistórica no sería liberadora, sino predominantemente fatalista. Machado no puede digerir ese masoquismo religioso de nuestro pueblo andaluz, que parece relamerse en la consideración introvertida de la pasión y muerte de Jesús y de los múltiples dolores de María, su Madre. El sueña con el «Jesús que anda en el mar», o sea, con el Cristo resucitado, sencillamente presente en la realidad cotidiana de los creyentes y garantizador de una sólida esperanza de un futuro escatológico. Por eso se atreve a establecer una escala de valores en el mensaje de Jesús, dando la primacía a la esperanza, a la «vela»:

[Yo amo a Jesús, que nos dijo:
«Cielo y tierra pasarán.
Cuando cielo y tierra pasen,
mi palabra quedará.»
¿Cuál fue, Jesús, tu palabra?
¿Amor? ¿Perdón? ¿Caridad?
Todas tus palabras fueron
una palabra: Velad] (15).

Muy recientemente la teología cristiana—tanto católica como protestante—ha sabido descubrir en el mensaje cristiano esto que es inevitablemente específico: la esperanza. Eso sí, una esperanza que no se reduzca a pura espera pasiva, sino que incluya en el tiempo intermedio todo el rico bagaje del mensaje de Jesús: amor, perdón, caridad...

_____
(15) *Campos de Castilla*, CXXXVI (Proverbios y cantares), XXXIV.

R E S U M E N

La cristología machadiana presenta unos rasgos nítidos que pudiéramos resumir así:

1) En primer lugar, Machado parte—como al hablar de Dios—de la posible falsificación de la imagen de Cristo; y encuentra el criterio de valoración en la conjunción de la imagen de Cristo con el amor fraterno: un cristo justificador de la injusticia y de la violencia es una falsa creación del hombre. Esta intocabilidad de la verdadera imagen de Cristo es posible porque no se trata de un producto contingente de la Historia, sino de un proyecto eterno de Dios.

2) Cristo es Dios; y su condición divina sirve para expiar los pecados de los «dioses» o falsas imágenes de Dios. La resurrección de Cristo está conectada con su divinidad: ya no se dejará enterrar, por más que sigan intentándolo las clases dominantes; siempre estará el pueblo, dispuesto a rescatar a Cristo de los nuevos sepulcros que los orgullosos «superhombres» quieren prepararle.

3) El Cristo verdadero está definitivamente desenclavado de la cruz; por eso es de rechazar el masoquismo religioso de cierta devoción popular, que no ve en Cristo resucitado la realidad: el Señor del futuro absoluto y el animador del itinerario presente.

IV. EL CRISTIANISMO COMO ETICA DEL AMOR FRATERNO

Ya en la cristología machadiana acabamos de ver cómo «el Cristo» es fundamentalmente el predicador del amor fraterno universal. Aún más, Machado cree (nunca mejor utilizado este verbo) que solamente la mística cristiana del amor fraterno podrá enderezar la historia de los hombres; ahora bien: este amor fraterno se deriva de una robusta fe en Cristo Hijo de Dios y hermano mayor del resto de la humanidad.

1. EL AMOR VIENE DE DIOS

Machado comienza por hacer observaciones intuitivas, llenas de optimismo y esperanza respecto del futuro de la humanidad. La Historia no es un disco que gira eternamente sobre sí mismo: dentro de la Historia hay posibilidad de creación y de avance hacia arriba y hacia adelante. Este impulso procede del amor fraterno:

> [¿Dices que nada se crea?
> No te importe; con el barro
> de la tierra haz una copa
> para que beba tu hermano] (1).

Ahora bien: este amor fraterno no es simplemente una proyección de sí mismo hacia el exterior; amar es dejarse a sí mismo y reconocer que hay «otro» enfrente de sí:

---

(1) *Campos de Castilla*, CXXXVI (Proverbios y cantares), XXXVII.

[Enseña el Cristo: «A tu prójimo
amarás como a ti mismo»;
mas nunca olvides que es otro] (2).

Pero, sobre todo, para Machado es inútil construir una ética
del amor fraterno sin una sólida estructura de una robusta fe en
Dios:

[Amar a Dios sobre todas las cosas es algo más difícil de
lo que parece. Porque ello parece exigirnos: primero, que
creamos en Dios; segundo, que creamos en todas las cosas;
tercero, que amemos todas las cosas; cuarto, que amemos a
Dios sobre todas ellas. En suma: la santidad perfecta, inase-
quible a los mismos santos. Nuestro amor a Dios—decía
Spinoza—es una parte del amor con que Dios se ama a sí
mismo. «¡Lo que Dios se habrá reído—decía mi maestro—
con esta graciosa y gedeónica reducción al absurdo del concepto de amor!» Los grandes filósofos son los bufones de la
divinidad] (3).

Es curioso descubrir cómo actualmente la «derecha cristiana»
reprocha a la izquierda del mismo nombre el que, en su constante
subrayado del amor al hombre, cometa el fallo de lo que se ha
dado en llamar «antropocentrismo»: el hombre estaría en el centro de la nueva religiosidad progresista, abandonando la esencial
dimensión vertical de la religación con Dios. En general, este reproche suele ser injusto, ya que en la inmensa mayoría de los
casos ni la nueva «izquierda» ha renunciado, ni mucho menos,

---

(2) *Nuevas canciones*, CLXI (Proverbios y cantares), XLII.

(3) *Juan de Mairena...*, II.

118

a Dios, ni, por otra parte, la vieja derecha demuestra un apego sincero al «único Dios verdadero»:

[... el Dios que todos llevamos,
el Dios que todos hacemos,
el Dios que todos buscamos
y que nunca encontraremos] (4).

Machado centra el problema, desde su íntima y coherente vivencia religiosa, afirmando rotundamente que lo primero es precisamente la fe en Dios. Ahora bien: la fe en Dios, para Machado, no es evasiva, sino comprometedora: impulsa a «creer en todas las cosas», es decir, que lleva consigo una vivencia *religiosa* derivada. Y esta vivencia no es únicamente de tipo intelectual o puramente consciente; es, además, profundamente afectiva: hay que «amar todas las cosas». Es seguir el ejemplo del Dios bíblico que, al terminar cada lote de obras en la creación, las miraba con ojos amorosos y simpatizantes: «Y vio Dios que todas las cosas que había hecho eran buenas» (5).

Solamente desde aquí se puede «amar a Dios sobre todas las cosas» y, a consecuencia, amar a los demás seres humanos en lo que precisamente tienen de «otros».

———

(4) *Campos de Castilla*, CXXXVII (Parábolas), **VI**.

(5) *Gén* 1, 31.

2. EL AMOR FRATERNO, BLOQUEADO POR EL «MACHISMO»

Hay en los escritos de Machado una especie de prejuicio contra lo que él llama la «biblia precristiana», los escritos del Antiguo Testamento. Es verdad que esto es, para su vivencia religiosa, algo secundario y coyuntural; por eso, intentaremos desentrañar el sentido íntimo de esta prevención, que precisamente gira en torno a la posibilidad del amor fraterno. Machado utiliza frecuentemente y en tono despectivo la expresión «el bíblico semental humano». ¿Qué quería decir con ello? Veámoslo:

[Después de las blasfemias de Nietzsche, nada bueno puede asegurarse a esta vieja Europa, de la cual somos nosotros parte, aunque, por fortuna, un tanto marginal, como si dijéramos, su rabo todavía por desollar. El cristo se nos va, entristecido y avergonzado. Porque el bíblico semental humano brama, ebrio de orgullo genesíaco, de fatuidad zoológica. ¿No le oís berrear? Terribles guerras se avecinan] (6).

La prevención de Machado contra el «bíblico semental humano» se refiere al supuesto intento de hacer del macho humano el rey indiscutible de esta selva cósmica en la que vivimos. Sin embargo, para él las verdaderas relaciones entre los hombres deberían siempre ser fraternas, nunca paterno-filiales. Para ello es necesario reconocer a Dios como el *único* padre:

> [Cuando el Cristo vuelva, predicará el orgullo a los humildes, como ayer predicaba la humildad a los poderosos. Y sus palabras serán aproximadamente las mismas: «Recordad que vuestro padre está en los cielos; tan alta es vuestra alcurnia por parte de padre. Sobre la tierra solo hay ya para vosotros deberes fraternos, independientes de los vínculos de la sangre. Licenciad de una vez para siempre al bíblico semental humano] (7).

La explicación profunda de esta lucha contra el «bíblico semental humano» a favor de una fraternización universal la expone Machado en una extensa carta que desde Baeza envía el 16 de enero de 1918 a Miguel de Unamuno, acusando recibo de la obra de este *Abel Sánchez* (8).

Empieza disculpando elegantemente a Unamuno de haber escrito este libro:

---

(6) *Juan de Mairena...*, XLVI.

(7) *Consejos, sentencias...*, I.º

(8) *Complementarios...*, págs. 176-80.

[Su *Abel Sánchez* es libro precristiano que usted—el hombre de Cristo en el pecho—tenía que escribir para invitarnos a expulsar de nuestras almas al hombre precristiano, al gorila genesíaco que todos llevamos dentro.]

A continuación intenta ver en el Caín descrito por Unamuno todas las condiciones determinantes del «gorila genesíaco»:

[Su Caín de usted es, ciertamente, la envidia: el odio a nuestro prójimo por amor de nosotros mismos. Es un capítulo del libro de las generaciones, o sea, del libro del amor del hombre a sí mismo y a su prole, del amor que va de generación en generación, por línea directa, de padres a hijos, sin regresión apenas de los hijos a los padres y sin fraternidad; es el libro de la envidia: Caín y Abel, Jacob y Esaú, José y sus hermanos, etc.]

Sin embargo, Machado tiene conciencia de que ese «Antiguo Testamento», donde es protagonista el «semental humano», el «gorila genesíaco», apunta, en un ritmo dinámicamente ascendente, a una superación de ese funesto machismo protagonizante y a una búsqueda de las relaciones fraternas entre los hombres:

[Yo no veo en este libro fundamental sino la gran lucha del hombre para crear el sentimiento de la fraternidad, que culmina en Jesús. Caín sacrifica a Abel, que era bueno con la bondad de un pastor; Jacob suplanta a su hermano, que era un bárbaro; José, perdonando y amando a sus hermanos, que quisieron perderle, muestra ya cómo el amor ha de tomar un día la línea transversal. La historia de José es lo más poético y delicado de la Biblia precristiana. José, el casto José, deja su capa en manos de la hembra lujuriosa. Jacob hubiera aprovechado la ocasión, no por el placer, sino por el ciego instinto genésico. Pero José tiene más conciencia, es más fino, no es semental, es un hombre. Su castidad no es impotencia ni hermafroditismo, puesto que luego lo vemos casado y con hijos; su honestidad inaugura la historia humana, que no marcha de generación en generación, sino de virtud en virtud. Y en José aparece la virtud elemental enfrente de la pasión elemental: la castidad frente a la envidia, la cual, en un principio, se confundiría con el celo por la hembra. La fraternidad es un amor casto, que no puede aparecer sino cuando el hombre es capaz de superar el ciego impulso de la generación. Su Caín de usted es también un semental, padre en potencia de futuras generaciones, quien, por haber marrado en su amor a Elena, aborrece a Abel Sánchez.]

Aquí Machado avanza rápido en su profunda penetración del tema: a un auténtico espíritu de fraternidad se opone radicalmente ese soberbio complejo de generacionismo; el «semental humano» cree que el único valor es la procreación, y todo se subordina a él. En este sentido, la castidad es para nuestro poeta profundamente revolucionaria; implica el rechazo de ese supervalor generacionista que bloquea la posibilidad de una convivencia verdaderamente fraterna. La castidad no sería una mera abstención del eros genesíaco, sino un poner las cosas en su sitio, sometiendo el propio eros a una jerarquización superior, donde lo fraterno sea lo decisivo.

Ahora bien: para que esa fraternidad horizontal sea realmente un hecho es necesario que tenga como único punto de referencia a algo superior a todos los hombres y por encima de todos ellos: la *única* paternidad de Dios. De lo contrario, el amor al prójimo no se libraría del peligro de narcisismo, ya que sería una especie de amor a sí mismo, al propio yo, proyectado en el prójimo como en un espejo:

[Vengamos al Cristo. Si la envidia es el odio al prójimo por amor de nosotros mismos, ¿qué será la fraternidad? Si dijéramos que es el amor al prójimo por amor de nosotros mismos, no interpretaríamos, a mi juicio, el espíritu cristiano; sería entonces la fraternidad una forma indirecta de amarse cada cual a sí mismo. Me parece, más bien, la fraternidad el amor al prójimo por amor al padre común. Mi hermano no es una creación mía ni trozo alguno de mí mismo; para amarlo he de poner mi amor en él y no en mí; él es igual a mí, pero es otro que yo; la semejanza no proviene de nosotros, sino del padre que nos engendró. Yo no tengo derecho a convertir a mi prójimo en un espejo para verme y adorarme a mí mismo, este narcisismo es anticristiano; mi hermano es un espejo, es una realidad tan plena como la mía, pero que no soy yo y a la cual debo amar con olvido de mí mismo. Amar no es deleite, sino sacrificio.

No hubiera Cristo ordenado el amor como tarea infinita si hubiese creído que podía el hombre hacerse la barba para aguzarse el bigote mirándose en el alma de su prójimo. Con el inmenso amor que sientes por ti mismo—creo yo leer en Jesús—ama a tu hermano, que es igual a ti, pero que no eres tú; reconocerás en él a un hermano; pero lo que hay de común entre vosotros es la sangre de Dios mismo, vuestro padre.]

En todo caso, esta jerarquización de valores, donde la paternidad única de Dios hace posible la convivencia fraternal de la humanidad, no es fruto de ninguna investigación científica, ni siquiera de una reflexión puramente filosófica: es un *misterio*, y, como tal, un regalo inexplicable de la propia divinidad. Tanto es así que, siguiendo siempre el circuito cerrado de la fe, por el ejercicio de la fraternidad humana se llega inexorablemente a un nuevo desemboque en Dios:

[Tal me parece a mí el sentido del Evangelio y la gran revelación de Cristo, el verdadero transmutador de valores. La humildad es un sentimiento cristiano porque el amor que Cristo ordena es un amor sin orgullo, sin deleite en nosotros ni en nuestra obra; nosotros no podríamos engendrar el objeto de nuestro amor, a nuestro hermano, obra de Dios. El amor fraternal nos saca de nuestra soledad y nos lleva a Dios. Cuando reconozco que hay otro yo, que no soy yo mismo ni es obra mía, caigo en la cuenta de que Dios existe y de que debo creer en él como en un padre. Siempre me pareció que la filosofía moderna, habiendo instituido un dogma la necesidad de separar la razón de la fe, olvida demasiado la profunda significación del cristianismo. Hace de la filosofía una reflexión sobre la ciencia, sobre el pensamiento mismo, lo que, en resumidas cuentas, es una reacción hacia la superstición eleática que identiza el ser con el pensar. Pero entonces ¿a qué vino Cristo al mundo? El nos reveló valores universales que no son de naturaleza lógica, los nuevos caminos de corazón a corazón por donde se marcha tan seguro como de un entendimiento a otro y la verdadera realidad de las ideas, su contenido cordial, su vitalidad.]

En una palabra, la primacía de lo «generacional»—o sea, todo tipo de «machismo»—es el mayor obstáculo para ese ideal supremo de la ética cristiana: el amor fraterno. Mientras el supremo módulo de las relaciones humanas no se saque fuera de la propia realidad y comprensión humanas y se sitúe en el más allá absoluto de la única paternidad de Dios, no será posible que la convivencia humana supere el funesto «complejo de Caín». Por eso Machado termina su carta a Unamuno con este grito impresionante:

[¡Guerra a Caín y viva el Cristo!]

Siguiendo la íntima y profunda coherencia·de su pensamiento teológico, nos encontramos finalmente con que, para el poeta sevillano, esta superación de la supremacía del «bíblico semental humano» en orden a la fraternización de los hombres exige lógicamente una promoción total de la mujer. En efecto, en la ideología machista del sementalismo la mujer no tiene más valor que el de ser un instrumento del varón: por eso a lo más alto que pudiera aspirar es la propia maternidad. Por el contrario, Machado descubre el valor-en-sí de la mujer más allá de su pura colaboración al protagonismo generacional del varón. Y así escribe, comentando la obra *Los trabajos y los días. Esencias* de la poetisa Pilar de Valderrama (¿Guiomar?):

[Es libro de mujer este de Pilar de Valderrama, pero —entendámonos—de los femeninos hemos de señalar en él la afortunada ausencia de dos notas triviales. Es una la excesiva docilidad a la moda y afán de vestir el lírico documento al uso. No encontraréis en estas prosas y canciones la imagen sin raíz emotiva, ni los brillos baratos de la profunda bisutería del bazar literario. Otra, la autovaloración del sexo, en forma más o menos directa de reclamo erótico. Es siempre algo más esencial y—digámoslo también—más delicado, señoril y honesto cuanto hay de femenino en las *Esencias* de Pilar de Valderrama. En las primeras páginas, por ejemplo, al par que una honda preocupación por la mujer *in genere*, en forma de simpatía, mejor diré de piedad, aparece el amor como un prodigio del Cristo. Allí se dice de María Magdalena:

> ... no sabía
> que amor es un milagro
> como en el ciego, ver.

A muy honda y sincera visión responden, a mi juicio, estos sencillos versos. ¡El amor como milagro de Cristo! Y la mujer, objeto de amor, actividad autónoma del espíritu, expresión de libre afectividad, supone plena victoria sobre los ciegos ímpetus de la naturaleza y requiere la tregua del eros genesíaco, una superación de las férreas leyes y aun de virtudes del bíblico semental humano, el clima fraterno que trajo Cristo al mundo. Sócrates, conversando con los mancebos de Atenas, descubre la razón, el pensamiento genérico de signo masculino. De los diálogos de Platón está excluida la mujer; lo está—en ellos—del amor mismo, pues ni siquiera es la belleza femenina, sino la del efebo, el primer incentivo que despierta nostalgia de las ideas eternas. Solo Cristo interroga a la mujer conversa con ella de alma a alma y penetra en su corazón con mudo asombro de los discípulos. No obstante, el sentido ascético del cristianismo—y acaso por ello mismo—es la esencia femenina, como tema cordial, una de las grandes invenciones de Cristo. Por él pasa la hetaira a simple pecadora, objeto de misericordia—como merced a

Sócrates, el sofista a mero charlatán—, y la mujer esencial, piadosa madre del Dios vivo—de su Hacedor dichosa engendradora, a cuyos pechos floreció la vida—, sube a los altares donde todos como a madre de todos la veneran] (9).

De nuevo Machado nos sorprende con su poderosa intuición religiosa. Hoy, en efecto, vamos redescubriendo el sentido profundamente liberador de la mariología bíblica: María, una «madre soltera» humillada, es elevada al supremo rango de primera figura en el plan de Dios sobre los hombres. Su protagonismo le viene, ciertamente, de su maternidad con respecto a Jesús; pero esa maternidad no se debía, a su vez, al absorbente protagonismo del varón. He aquí cómo la observación machadiana sobre el carácter «revolucionario» de la castidad adquiere un nuevo sentido y abre nuevos horizontes.

---

(9) *El Imparcial*, Madrid, 5 de octubre de 1930.

3. AMOR FRATERNO CONTRA MASIFICACION

Como ya hemos visto, surge en la prosa machadiana la frecuente alusión casi menospreciativa al Antiguo Testamento. Y es que, según el poeta, en el Antiguo Testamento sigue vigente el orgullo pretencioso de un determinado pueblo que se cree elegido frente a la masa innominada del resto de la humanidad:

[La persecución de los judíos es una verdadera judiada. En primer lugar, porque, como pensaba monsieur de la Palisse, mal podríamos perseguir a los judíos si los judíos no existieran. En segundo lugar, porque es algo terriblemente anticristiano y, en el fondo, la eterna cruzada de los judíos inferiores contra los judíos de primera clase o, si queréis, la venganza que toma el rebaño de todo cordero distinguido —*agnus dei*—. ¿Qué otra cosa fue la tragedia del Gólgota? En tercer lugar, porque solo los pueblos saturados de Viejo Testamento y de sangre judaica pueden pasarse la vida be-

129

rreando: ¡somos pueblo elegido, aquí no hay más pueblo elegido que el nuestro!] (10).

Esto lo escribía Machado en *La Vanguardia* el 1 de septiembre de 1938, en plena tragedia nazi. Como es de presuponer, estaba muy lejos de nuestro poeta cualquier prejuicio, por mínimo que fuera, de tipo racial. Sin embargo, hace una dura crítica del mismo pueblo judío, haciéndolo responsable, en última instancia, de la tremenda persecución de la que iba siendo víctima. Y es que se trataría de un profundo narcisismo masoquista, que se ha ido remansando a lo largo de los dos mil años cristianos. Por eso dice que [la persecución de los judíos es una verdadera judiada]. Efectivamente, un pueblo es perseguido porque existe como tal; y esta ha sido la suprema aspiración de la comunidad judía en este bimilenario: dar fe de su presencia específica en el consorcio de la comunidad humana.

Aún más: la «tragedia del Gólgota» tipifica la actual persecución a los judíos; entonces se trataba de una embestida [de los judíos inferiores contra los judíos de primera clase] o más bien [la venganza que toma el rebaño de todo cordero distinguido]. Por eso se explica que el pueblo judío, befado por los cristianos como el «pueblo deicida», pretenda de alguna manera convertirse él mismo en víctima expiatoria que de alguna manera lo distinga del rebaño humano.

Finalmente, Machado se desmadra—contra su habitual serenidad—y encuentra la suprema razón de esta dolorosa coyuntura en el hecho de que [solo los pueblos saturados de Viejo Testamento

---

(10) *Complementarios...*, pág. 234.

y de sangre judaica pueden pasarse la vida berreando: ¡somos pueblo elegido!; aquí no hay más pueblo elegido que el nuestro!].

Como vemos, el subrayado fundamental de Machado va contra la pretensión de ser «pueblo elegido», ya que ello implica que el resto de la humanidad es un puro rebaño, una pura masa. Ahora bien: el cristianismo, según· él, tiene como tarea esencial la desmasificación de la humanidad; solo así será posible el amor fraterno.

En su radical aversión a la humanidad-masa, Machado llega a hacer una crítica muy dura de Carlos Marx, cuyo origen judío subraya expresamente:

[Carlos Marx, señores, fue un judío alemán que interpretó a Hegel de una manera judaica con su dialéctica materialista y su visión usuraria del futuro. ¡Justicia para el innumerable rebaño de los hombres; el mundo para apacentarlo! Con Marx, señores, la Europa, apenas cristianizada, retrocede al Viejo Testamento. Pero existe Rusia, la santa Rusia, cuyas raíces espirituales son esencialmente evangélicas. Porque lo específicamente ruso es la interpretación exacta del sentido fraterno del cristianismo. En la tregua del eros genesíaco, que solo aspira a perdurar en el tiempo, de padres a hijos, proclama el Cristo la hermandad de los hombres, emancipada de los vínculos de la sangre y de los bienes de la tierra; el triunfo de las virtudes fraternas sobre las patriarcales. Toda la literatura rusa está impregnada de este espíritu cristiano. Yo no puedo imaginar, señores, una Rusia marxista, porque el ruso empieza donde el marxista acaba. ¡Proletarios del mundo, defendeos, porque solo importa el gran rebaño de hombres! Así grita, todavía, el bíblico semental humano. Rusia no ha de escucharle] (11).

Entre 1934-1936, cuando esto escribe Machado, la Unión Soviética está sólidamente establecida y empieza a jugar un lugar preponderante en buena parte del planeta que habitamos. Sin embargo, Machado no acaba de superar su profunda alergia al «bíblico semental humano» y ve todavía en la realización soviética del socialismo el peligro de resurrección—esta vez vigorosa—del «gorila genesíaco». El no soporta que se hable de «masa proletaria» y que se trate a la humanidad como un rebaño, tanto si es Dios el que lo pastorea como si es el Diablo.

Esta insistencia en la pretensión de formar un «pueblo elegido» se convierte en terrible obsesión para nuestro poeta, que vuelve a repetir—cada vez con más plasticidad—sus viejas ideas:

[El marxismo, señores, es una interpretación judaica de la Historia. El marxismo, sin embargo, ahorcará a los banqueros y perseguirá a los judíos. ¿Para despistar? En el fondo, también es judaica la persecución de los judíos. Y no solamente porque ella supone la previa existencia del pueblo deicida, sino porque además, y sobre todo, ¿hay nada más judaico que la ilusión de pertenecer a un rebaño *privilegiado* para perdurar en el tiempo? «¡Aquí no hay más pueblo elegido que el nuestro!» Así habla el espíritu mosaico a través de los siglos] (12).

---

(11) *Juan de Mairena...*, IV (Sobre la crítica).

(12) *Juan de Mairena...*, XLVI (Para la biografía de Mairena).

Machado sigue adelante en su sutil y penetrante análisis: todo «pueblo elegido» plantea el problema de la existencia de su periferia, por vasta que esta sea. Quiero decir que el intento de luchar contra estas pretensiones elitistas del grupo elegido no se logra considerando el «resto» de la humanidad como una pura *masa:* no es revolucionario hablar de «educación de las masas», de «salvación de las masas». Es, en definitiva, seguir usando el mismo lenguaje del «grupo elegido»:

[Nuestra *Escuela Popular de Sabiduría* tendría muchos enemigos: todos aquellos para quienes la cultura es no solo un instrumento de poder sobre las cosas, sino también, y muy especialmente, de dominio sobre los hombres. Nos acusarían de corruptores del pueblo, sin razón, pero no sin motivo. Porque si la cultura sirve a unos pocos para mandar, solo hay una manera muy otra que la nuestra de conservarla: enseñar a obedecer a los demás. Y reparad en que esos hombres se preocupan, a su modo, de la educación del pueblo tanto o más que nosotros. ¿Tendríamos enfrente a la Iglesia, órgano supremo de salvación de las masas? Acaso. Pero no por motivos de competencia. Porque a nosotros no nos preocupa la salvación de las masas. Recordad lo que tantas veces os he dicho. El concepto de masa, aplicado al hombre, de origen eclesiástico y burgués, lleva implícita la más anticristiana degradación de nuestro prójimo que cabe imaginar. Muchas gentes de buena fe, nuestros mejores amigos, lo emplean hoy sin reparar en que el tópico proviene del campo enemigo. Salvación de las masas, educación de las masas... Desconfiad de ese yerro lógico, que es otra terrible caja de Pandora. Se me dirá que el concepto de masa, puramente cuantitativo, puede aplicarse al hombre y las muchedumbres humanas como a todo cuanto ocupa lugar en el espacio. Sin duda; pero a condición de no concederle ningún otro valor cualitativo. No olvidemos que, para llegar al concepto de masas humanas, hemos hecho abstracción de todas las cualidades del hombre, con excepción de aquella que el hombre comparte con las cosas materiales: la de poder ser medida con relación a unidad de volumen. De modo que, en estricta lógica, las masas humanas ni pueden salvarse ni ser educadas. En cambio, se podrá disparar contra ellas. He aquí la malicia que lleva implícita la falsedad de un tópico que nosotros, demócratas incorregibles y enemigos de todo señoritismo cultural, no emplearemos nunca, por un respeto y un amor al pueblo que nuestros adversarios no sentirán nunca] (13).

Este es en resumen el pensamiento de Machado: las masas no pueden ser objeto de verdadera educación (sería una educación *masiva*); y sí pueden ser objeto de manipulación por parte de grupos escogidos que podrán incluso disparar contra ellas.

Desde esta ética del amor fraterno, esencial en la teología de Machado, le es imposible al poeta una aceptación del marxismo, sobre todo en la perspectiva esencializada en que él lo mira.

En primer lugar, porque él ve en el marxismo un puro «determinismo histórico»:

[El pueblo ruso, sometido hace años al imperio despótico de los zares, sin hábitos de ciudadanía, sin libertad política,

_____

(13) *Consejos, sentencias...*, II.º

no ha conocido aún, como tal pueblo, esta forma de euca-
ristía; la comunión en las ideas no ha socializado aún su
especulación filosófica. Buscaréis en vano un gran nombre
ruso en la historia de los grandes sistemas de ideas. Falta
hoy a Rusia metafísica propia, y una de las causas del fracaso de su gran revolución acaso sea el desmedido tributo
que las mentalidades directoras de Rusia rinden necesariamente al pensamiento alemán, al determinismo económico
de Carlos Marx] (14).

Como es lógico, Machado no pudo quizá tener la ocasión de
conocer la autodefensa marxista, cuando rechaza la atribución
de un «materialismo vulgar o economicista» y reivindica una visión de plenitud humana a partir de la constatación de ese hecho
inalterable, o sea, que es imposible descubrir el ritmo de la historia humana sin tener muy en cuenta la enorme importancia de
esa infraestructura económica, sobre la que reposa toda la dinámica de la humanidad. Machado, con su instinto *religioso*, rehuía
cualquier interpretación puramente economicista de la historia
humana, por el simple hecho de que ello implicaba la consideración de los hombres como pura masa, como un rebaño de cor-
deros innominados.

En segundo lugar, Machado cree que el marxismo, de impor-
tación alemana, no podrá encajar perfectamente en la vivencia
real del pueblo ruso. Efectivamente, este pueblo presenta esta
enorme contradicción: por una parte, un gran vacío cultural, sobre todo filosófico; y, por otra, una extraña impregnación del es-

---

(14) *Complementarios...*, págs. 138 y sg.

píritu evangélico del amor fraterno. Machado hace esta distinción al hablar de los clásicos rusos:

[Los pueblos de cultura integral, los herederos de la civilización heleno-cristiana, saben de ambas formas de universalidad, porque pasaron por la doble experiencia histórica de las luchas políticas y religiosas. De entre ellos no podemos excluir a Rusia; pero el más superficial conocimiento de su historia nos muestra su enorme atraso político y social. Mas su literatura, en cambio, nos revela cuán profundamente ha penetrado el Evangelio en el alma rusa. El despotismo oriental de sus emperadores, desde Juan el Terrible hasta nuestros días, condenó a la incultura y al sufrimiento a casi toda la población eslava, al pobre campesino, al mugic triste, vacío de ideas y lleno de supersticiones, al mugic que no conoce la vida social y cuyo corazón, como la tierra empedernida por el hielo, en que sufre y trabaja, es el fruto de esta misma cruel tiranía y solo encierra el odio, el miedo y la desesperanza. Y los poetas rusos, los novelistas, los pensadores, la aristocracia intelectual, nacida casi toda ella en la clase noble, al mirar a su patria, solo encontró un tema realmente ruso: el dolor humano. Un sentimiento de piedad impregna toda la moderna literatura rusa. Desde Pushkin ·y Lermontov, muertos trágicamente en los primeros años del siglo XIX, hasta Chéjov y Gorki, nuestros contemporáneos, los libros rusos contienen estas dos notas esenciales:·

1.º Una falta de coherencia lógica o, si queréis, una lógica extraña al genio de Occidente, sobre todo, al genio latino. El Vizconde de Melchior de Vogüé, en un reciente trabajo sobre la obra inmortal de Fedor Dostoyevsky *El Idiota,* dice estas o parecidas palabras (cito de memoria): «El rasgo dominante que diferencia los personajes de esta obra de aquellos a que estamos habituados en nuestra novela es su falta de disciplina mental. Un buen latino domina, o cree dominar, su razón; no duda del poder que posee para dirigirla, encauzarla y convertirla en una fuerza siempre sumisa. Entre los rusos de Dostoyevsky esta fuerza aparece indisciplinada, su pensamiento es como un resorte que no obedece a la voluntad del mecánico, procede por saltos bruscos, con súbitas transiciones del llanto a la risa. Y este pensamiento es, además, complicado y sutil; algunas frases, sencillas en apariencia, ocultan una docena de intenciones equívocas.» Y es natural: el pensamiento ruso no es pensamiento de polemistas, de dialécticos, de razonadores ni de filósofos especulativos; es pensamiento ascético, místico, solitario; no es lógica, sino intuición.

2.º Esta tendencia colectiva, marcadamente irracionalista, o insuficientemente racional, que nos desconcierta en la novela rusa, creadora de tantos extraños personajes, que viven y se agitan como en un mundo de pesadilla, se compensa ampliamente con esa otra tendencia hacia los universales del sentimiento; ansia de inmortalidad, piedad hacia los humildes, amor fraterno, deseo de perfección moral, anhelo de suprema justicia, cristianismo en suma. Se diría que el ruso ha elegido un libro, el Evangelio, lo ha puesto sobre su corazón y con él, y solo con él, pretende atravesar la Historia] (15).

_____

(15) *Complementarios...*, págs. 140-42.

Machado se muestra lector asiduo de la literatura clásica rusa, de inspiración cristiana, y en ella ese sentido de atención al hombre concreto—al prójimo—, que para él es esencial en la ética del amor fraterno. Pero no descubre al mismo tiempo un fenómeno paralelo: la ausencia de una interpretación *social* (no *masiva*) de la tragedia humana en orden a su superación. En efecto, el cristianismo tolstoiano, al que Machado acude frecuentemente, se libera difícilmente del reproche de fatalismo, ya que el sentimiento religioso sirve de hecho de «opio del pueblo», de pura esperanza ultraterrena como único remedio para las necesidades de hoy:

> [¿Recordáis alguna novela de Leon Tolstoy? Son hombres y mujeres siempre en pugna con las normas del mundo, siempre inquietos y descontentos de sí mismos, pero siempre, también, buscando a su prójimo para curarle de sus dolores, para aliviar su miseria. Les preocupa—como a nuestro egregio Unamuno—el problema esencial, el del último destino del hombre (recordad la hermosa muerte del príncipe Andrés en *La Guerra y la Paz*); dudan, vacilan como dudan y vacilan las almas sinceras y profundas, siempre divididas en sus entrañas; pero siempre se diría que alcanzan a ver una luz interior, reveladora de la suprema esperanza. Su religiosidad es mística, porque busca a Dios por el camino del amor. Su misticismo es cristiano, de combate íntimo, activo, dinámico, no pasivo, contemplativo y panteístico a la manera oriental] (16).

Esta distorsión, que Machado padece en sus carnes de creyente cristiano, le hace clamar por la posible fusión de ambos extremos,

---

(16) *Complementarios*..., págs. 142-43.

o sea, la integración del espiritualismo cristiano en la dinámica progresiva de la Historia, incluyendo en ella el «gran fenómeno» de la Revolución de Octubre:

[¿Qué debe la moderna literatura occidental a las letras rusas? Los pueblos que alcanzaron un alto grado de prosperidad material—Francia, Alemania, Inglaterra, Italia—y también un alto grado de cultura (lo uno no va sin lo otro) tienen un momento de gran peligro en su historia, peligro que solo la cultura misma puede remediar. Estos pueblos llegan a padecer una grave amnesia, olvidan el dolor humano. Su civilización se superficializa, toma el sentido de la utilidad y del placer, olvidan esa tercera dimensión del alma humana, el fondo religioso de la vida, el sentimiento trágico de ella, que dice el gran Unamuno; dejan a un lado los problemas esenciales y paralizan, sin saberlo, los íntimos resortes de su misma civilización. La literatura rusa ha sido un enérgico y vibrante despertador, que nos desvela y ahuyenta de nosotros el sueño epicúreo] (17).

Y refiriéndose más concretamente a la realización histórica del marxismo en Rusia, llega a hacer afirmaciones, llenas de nostalgia profética, en un sentido verdaderamente increíble:

[Con todo, de cuanto se hace hoy en el mundo, lo más grande es el trabajo de Rusia. Porque Rusia trabaja para emancipar al hombre, a todos los hombres, de cuanto es servidumbre en el trabajo. Para triunfar del *solus ipse* (una fe metafísica como otra cualquiera, y precisamente la propia

(17) *Complementarios...*, págs. 143-44.

de la sociedad individualista, que vive hoy con el escudo al brazo enfrente de la Rusia soviética) será necesaria una fe comunista—no nos asusten las palabras—, que puede engendrarse en el seno de una fraternidad laboriosa. ¡Fraternidad! He aquí la palabra rusa por excelencia. Cuando se lee lo que nos cuentan de Lenin, del modesto y gigantesco Lenin, y se recuerdan sus palabras (muchas que pronunció y muchas que supo callar), se comprende cuánto supera el corazón del eslavo a la inteligencia del pensador alemán. Y se presiente una reacuñación cordial del marxismo por el alma rusa, que puede ser cantora lírica y comunista en el sentido humano y profundo de que antes hablamos] (18).

Machado llevó hasta su muerte este sueño de la posible unión del espiritualismo cristiano—tan ruso, según él—con el avance de las realizaciones socialistas a las que él se adhiere con entusiasmo y sinceridad. Así es como les hablaba a las Juventudes Socialistas Unificadas en Valencia el 1 de mayo de 1937:

[Yo os saludo, pues, jóvenes socialistas unificados, con un respeto que no siempre puedo sentir por los ancianos de mi tiempo, porque muchos estaban deshaciendo a España y vosotros pretendéis hacerla. Desde un punto de vista teórico, yo no soy marxista, no lo he sido nunca, es muy posible que no lo sea jamás. Mi pensamiento no ha seguido la ruta que desciende de Hegel a Carlos Marx. Tal vez proque soy demasiado romántico, por el influjo, acaso, de una educación demasiado idealista, me falta simpatía por la idea central del marxismo: me resisto a creer que el factor económico,

_____
(18) *Complementarios...*, págs. 142 y sg.

cuya enorme importancia no desconozco, sea el más esencial de la vida humana y el gran motor de la Historia. Veo, sin embargo, con entera claridad, que el socialismo, en cuanto supone una manera de convivencia humana, basada en el trabajo, en la igualdad de medios concedidos a todos para realizarlo, y en la abolición de los privilegios de clase, es una etapa inexcusable en el camino de la justicia; veo claramente que es esa la gran experiencia humana de nuestros días, a que todos de algún modo debemos contribuir. Ella coincide plenamente con vuestra juventud, y es una tarea magnífica, no lo dudéis. De modo que no solo por jóvenes verdaderos, sino también por socialistas, yo os saludo con entera cordialidad] (19).

No podemos olvidar que cuando Machado escribe estas cosas el «marxismo» va tomando en la Unión Soviética el horrible rostro staliniano, que tan profundas huellas va a dejar en las décadas posteriores, incluso después del XX Congreso del Partido Comunista Soviético, que decretó el «deshielo» del stalinismo. Osaac Deutscher, el gran historiador de Stalin, afirma que por aquellos años el dictador soviético, no contento con dictar su voluntad en todos los asuntos relacionados con el cuerpo político, aspiró también a ser el único dirigente espiritual de aquella generación (20).

Y así lo hizo, en parte, porque su vanidad había quedado herida por el hecho de que la élite intelectual del Rusia difícilmente

---

(19) *Antonio Machado. Antología de su prosa*, IV. Ed. Cuadernos para el Diálogo, Madrid, 1972, págs. 166 y sg.

(20) *Stalin. Una biografía política.* Edició de Materials, Barcelona, 1967, págs. 391 y sgs.

lo había tenido en cuenta antes que él la pusiera bajo su tutela, e incluso habían tratado con un punto de ironía sus afirmaciones sobre ciencia, filosofía y arte. De hecho el marxismo había acortado las distancias entre la política, la filosofía y la literatura; pero Stalin supersimplificó draconianamente el punto de vista marxista sobre esta interconexión y degradó la ciencia, el arte y la historia hasta tal punto que quedaron convertidos en simples elementos al servicio de su política. Cada vez que daba unas nuevas directrices económicas y políticas, los historiadores, ios filó-sofos y los escritores tenían que comprobar cuidadosamente si sus últimas palabras se podrían encontrar en situación conflictiva con la última palabra del líder.

De esta forma sucedió que hasta la poesía y la novela rusas perdieron su antiguo lustre. «Dadnos un Tolstoi soviético», pidieron durante años los críticos literarios oficiales. Pero el Tolstoi soviético no apareció, porque un Tolstoi no crece en una atmósfera donde no hay libertad para decir: «No puedo quedar callado.» Los dos poetas más originales de la Rusia soviética contemporánea, Yesenin y Maiakovski, se suicidaron. Algunos de los mejores escritores buscaron refugio en el silencio; otros fueron silenciados. Como un recuerdo de pasadas glorias, Máximo Gorki, aclamado como patriarca de la cultura y como amigo íntimo de Stalin, sobrevivió hasta la primera mitad de los años treinta. La amistad entre Stalin y Gorki difícilmente podía ser un verdadero encuentro de espíritus. Stalin necesitaba que su autoridad intelectual y moral fuera sostenida por alguien cuya autoridad fuera reconocida comúnmente. Gorki había sido amigo íntimo de Lenin ya en los últimos días de la clandestinidad; y Stalin pensó que era prudente heredar aquella amistad juntamente con muchos otros atributos y títulos que le correspondían como a jefe. Gorki, por otra parte, más de una vez se había peleado violentamente con Lenin, y este le toleraba cosas que nunca habría tolerado a ningún político. El viejo escritor, emocionalmente vinculado al bolchevismo y con un cierto remordimiento por sus viejos ataques contra Lenin, decidió no pelearse con el sucesor, que, por otra parte, no estaba dispuesto a tolerar ningún tipo de pelea. En algún caso Gorki intentaba suavizar el temperamento de Stalin y salvar por las buenas a algún viejo bolchevique o a algún «equivocado» hombre de letras. Incluso intentó reconciliar a Stalin con Kaménev. Al final desistió. Murió en 1936. Con él se acabó la gran línea de los escritores prerrevolucionarios.

Sin embargo, a pesar de las malas nuevas que venían de la Rusia staliniana, Machado sigue confiando en las posibilidades *cristianas* del alma rusa. Y así, en 1937 escribe, desde Valencia a Leningrado, al escritor ruso hispanista David Vigodski:

[Leyendo hace unos meses *El adolescente* de Dostoyevsky —vuestro gran Dostoyevsky—encontré algunas páginas, en mi opinión proféticas, que me afirman en la idea que tuve siempre del alma rusa. Un personaje de esta novela, Versilov—cito y resumo de memoria, porque mis libros han quedado en Madrid—, dice, conversando con su hijo, que llegará un día en que los hombres vivan sin Dios. Y cuando se haya agotado esa gran fuente de energía que les prestaba calor y nutría sus almas, los hombres se sentirán solitarios y huérfanos. Pero añade—y esto es, a mi juicio, lo específicamente ruso—que él no ha podido nunca imaginar a los hombres como seres ingratos y embrutecidos. Los hombres entonces se abrazarán más estrecha y amorosamente que nunca, se darán la mano con emoción insólita, comprendien-

143

do que en lo sucesivo serán ya los unos para los otros. La idea y el sentimiento de la inmortalidad serán suplidos por el sentido fraternal del amor. Claramente se ve cómo Dostoyevsky es un alma tan impregnada de cristianismo que ni en los días de mayor orfandad y más negro ateísmo que él imagina puede concebir la ausencia del sentimiento específicamente cristiano. Y expresamente lo dice Versílov, al fin de su discurso, en estas o parecidas palabras: «Entre los hombres huérfanos y solitarios veo al Cristo tendiéndoles los brazos y gritándoles: ¿Cómo habéis podido olvidarme?» Como maestra de cristianismo, el alma rusa, que ha sabido captar lo específicamente cristiano—el sentido fraterno del amor, emancipado de los vínculos de sangre—, encontrará un eco profundo en el alma española, no en la *calderoniana*, barroca y eclesiástica, sino en la *cervantina*, la de nuestro generoso hidalgo Don Quijote, que es, a mi juicio, la genuinamente popular, nada católica, en el sentido sectario de la palabra, sino humana y universalmente cristiana] (21).

Machado, al final de su vida, bajo las balas de la guerra civil española, cuando piensa en la Unión Soviética como probable refugio de sus últimos años, sigue siendo sincero consigo mismo y manteniendo su vieja línea de la ética del amor fraterno: sin Dios no será posible que los hombres se amen entre sí; y quizá algún día el viejo cristianismo fraterno ruso renacerá de sus cenizas y podrá montar ágilmente sobre el caballo, afortunadamente veloz, de la revolución socialista...

(21) *Antonio Machado. Antología de su prosa*, IV. Ed. Cuadernos para el Diálogo, Madrid, 1972, págs. 156 y sg.

RESUMEN

Para Antonio Machado el cristianismo no es una pura fe intelectual, ni siquiera mística, sino que se encarna por fuerza en una ética concreta: el amor fraterno.

1) En primer lugar, el amor fraterno *presupone* la fe en Dios, y solamente desde Dios se podrá realizar esa utopía del amor fraterno.

2) El amor fraterno lleva consigo la superación de lo que Machado llama protagonismo del «bíblico semental humano», que cree que el único valor es la procreación y todo lo subordina a él. En este sentido, la castidad es profundamente revolucionaria: implica el rechazo de ese supervalor generacionista que bloquea la posibilidad de una convivencia verdaderamente fraterna. En efecto, si el «macho» se erige en supervalor, será imposible la horizontalidad de los hombres. Por eso solo la admisión de Dios como *único* padre garantiza la convivencia humana a nivel fraterno. También de aquí se deriva el rechazo de la humillación histórica de la mujer.

3) El amor fraterno no se podrá realizar si sobrevive el doble concepto correlativo de «pueblo (o grupo) elegido» y «masa», aunque aquel pretenda salvar a esta. La tragedia de los judíos ha sido pretender seguir siendo un «pueblo elegido» tras la abolición del Viejo Testamento: con ello han bloqueado la posibilidad de universalidad humana. Quizá el propio marxismo arrastre la concepción elitista que le diera su fundador, que era un judío alemán. Pero lo que realmente le impide a Machado aceptar el marxismo

145

es su postura ética rigurosamente fraterna: el marxismo sería un determinismo histórico que suprimiría lo más esencial del hombre: su capacidad creativa. Sin embargo, Machado se adhiere incondicionalmente a la Revolución socialista y reconoce todas las realizaciones irreversibles que ha llevado consigo. Solamente sueña con una posible y futura integración de ese socialismo irreversible y de aquel viejo espíritu de cristiana fraternidad, patente en la mejor literatura rusa.

V. IGLESIA

Después de esta lectura de las reflexiones que Antonio Machado hace sobre su vivencia cristiana, es lógico que nos preguntemos con ansiedad cuál sería su actitud frente al fenómeno de la Iglesia.

Machado, en primer lugar, parte del hecho visible de que frente a él y muy cerca de él se encontraba una institución llamada «Iglesia Católica», en cuyo seno se desarrollaba un cúmulo de actividades, de las que él tiene noticias un poco desde fuera, ya que él, a diferencia de Unamuno, no ha estado nunca dentro del redil.

Es inútil preguntarse si Machado entiende por «Iglesia» una determinada institución histórica que pudiera desaparecer: él nunca pensó en ello.

Solamente se planta frente a este fenómeno histórico con una determinada actitud que fácilmente podemos descubrir en sus escritos. Veámoslo.

1. CONSTATACION: LA GENERACION DEL 98 ES LA PRIMERA QUE NO SESTEA A LA SOMBRA DE LA IGLESIA

El poeta sevillano, con esa sencillez intuitiva que lo caracterizaba, empieza su «eclesiología» por una pura constatación histórica: la generación del 98 ha roto el esquema de lo que después llamaríamos «nacionalcatolicismo»:

[Estos jóvenes—Mairena aludía a los que hoy llamamos veteranos del 98—son, acaso, la primera generación española que no sestea ya a la sombra de la Iglesia, si os place mejor, a la sombra de la sombra de la Iglesia. Son españoles, españolísimos, que despiertan más o menos malhumorados al grito de: ¡Sálvese quien pueda!] (1).

Machado alude implícitamente a Marcelino Menéndez y Pelayo,

_____

(1) *Consejos, sentencias...*, III.º (Sobre una filosofía cristiana).

que en su *Historia de los heterodoxos españoles* insinúa constantemente que la «españolidad» va esencialmente pareja con la «ortodoxia católica»:

[Los santones de la tradición española dirán que somos unos bárbaros los que proclamamos nuestro derecho a ignorar prácticamente unos cuantos libracos de Historia para uso de predicadores y profesionales de la oratoria. Pronto tendremos otro pozo de ciencia donde acudan a llenar sus cubos los defensores de la España católica. Con la muerte de Menéndez y Pelayo se quedaron en seco. Ahora acudirán al padre Calpena. Lo mismo da Julio César que Julián Cerezas; para estas gentes lo esencial es que haya un señor con autoridad suficiente para defender el tesoro de la tradición] (2).

Sin embargo, Machado no se hace grandes ilusiones sobre la alternativa que ciertas instituciones pretenden ofrecer a la nueva generación *liberada*. ¿Liberada... de qué? ¿Y para qué?

[Ellos se salvarán, porque no carecen de pies ligeros ni de plumas recias. Pero vosotros tendréis que defender su obra del doble *Index Librorum Prohibotorum* que la espera: del eclesiástico, indefectible, y... del otro. Del otro también, porque, frente a los que sestean a la sombra de la Iglesia, están los que duermen al sol, sin miedo a la congestión cerebral, los cuales llevan también el lápiz rojo en el bolsillo] (3).

Machado huye, como siempre, de toda tentación maniquea.

_____

(2) *Complementarios...*, págs. 167 y sg.

(3) *Consejos, sentencias...*, III.º (Los del 98).

Sabe muy bien que el «Indice» y la «Inquisición» no son obras específicas de una Iglesia cristiana. Aún más, como veremos a continuación, él es plenamente consciente de que estos fenómenos tan desagradables se han producido en el seno de la Iglesia muy a pesar de ella; es decir, en contra de lo que oficialmente la Iglesia presenta como mensaje esencial del Evangelio de Jesús.

Así se explica su perplejidad ante la alternativa de un «nacionalcatolicismo». Quizá piense—allá entre 1934 y 1936—en otro tipo de inquisición al margen y fuera de toda referencia a la Iglesia cristiana. Y esto tanto pudiera ser un «nacionalsocialismo» pronunciado ásperamente en alemán como un «socialismo nacional» pronunciado suavemente en ruso.

Machado, como siempre, mira el futuro—que ya era presente—con una sonrisa triste y melancólica que, sin embargo, no le hacía perder su enorme esperanza y su invencible optimismo.

2. NOSTALGIA DE LA IGLESIA

Precisamente por esta alergia a todo tipo de maniqueísmo, Machado deja entrever una especie de nostalgia de esa Iglesia, en cuyo entorno social él mismo ha vivido, pero a la que no ha pertenecido. El no fue jamás un anticlerical: todo lo contrario. Así se explica que, cuando se expresa a su aire, haga descripciones de elementos esenciales de la institución eclesial con un fuerte subrayado de profunda nostalgia.

A) La «monjita»

Este tipo de nostalgia aparece en este bello poema que le inspira la presencia de una «monjita» sentada frente a él en los asientos de la tercera de un tren:

[Yo, para todo viaje
—siempre sobre la madera

de mi vagón de tercera—,
voy ligero de equipaje.
Si es de noche, porque no
acostumbro a dormir yo,
y de día, por mirar
los arbolitos pasar,
yo nunca duermo en el tren,
y, sin embargo, voy bien.
¡Este placer de alejarse!
Londres, Madrid, Ponferrada,
tan lindos... para marcharse.
Lo molesto es la llegada.
Luego, el tren, al caminar,
siempre nos hace soñar;
y casi, casi olvidamos
el jamelgo que montamos.
¡Oh, el pollino
que sabe bien el camino!
¿Dónde estamos?
¿Dónde todos nos bajamos?
¡Frente a mí va una monjita
tan bonita!
Tiene esa expresión serena
que a la pena
da una esperanza infinita.
Y yo pienso: «Tú eres buena,
porque diste tus amores
a Jesús, porque no quieres
ser madre de pecadores.
Mas tú eres
maternal,

bendita entre las mujeres,
madrecita virginal.
Algo en tu rostro es divino
bajo tus cofias de lino.
Tus mejillas
—esas rosas amarillas—
fueron rosadas y, luego,
ardió en tus entrañas fuego;
y hoy, esposa de la Cruz,
ya eres luz, y solo luz...
¡Todas las mujeres bellas
fueran, como tú, doncellas
en un convento a encerrarse!...
Y la niña que yo quiero,
¡ay!, preferirá casarse
con un mocito barbero.
El tren camina y camina,
y la máquina resuella,
y tose con tos ferina.
¡Vamos en una centella!] (4).

La descripción de la monjita es de una enorme serenidad poética. Machado vuelve a insistir en su valoración de la castidad
como contragolpe al «bíblico semental humano». Y así la visión,
reposada y reflexiva, de algo tan íntimo en el entramado eclesial
como una monja, es para él motivo de admiración, de sueño, de
nostalgia. En su subconsciente, poblado de recuerdos y vivencias
cristianas, parece desearse profundamente la rehabilitación de la
entrega total a Dios en la vida religiosa.

_____

(4) *Campos de Castilla*, CX.

B) La iglesia de Torreperogil

Otro escape poderoso de la nostalgia de Machado hacia una
Iglesia soñada se encuentra en el siguiente poema, donde recobra
acentos proféticos frente a la contemplación del convento de la
Misericordia del pueblo giennense de Torreperogil:

[A dos leguas de Ubeda, la Torre
de Pero Gil, bajo este sol de fuego,
triste burgo de España. El coche rueda
entre grises olivos polvorientos.
Allá, el castillo heroico.
En la plaza, mendigos y chicuelos:
una orgía de harapos...
Pasamos frente al atrio del convento
de la Misericordia.
¡Los blancos muros, los cipreses negros!
¡Agria melancolía
como asperón de hierro
que raspa el corazón! ¡Amurallada
piedad, erguida en este basurero!...
Esta casa de Dios, decid, hermanos,
esta casa de Dios, ¿qué guarda dentro?
Y ese pálido joven,
asombrado y atento,
que parece mirarnos con la boca,
será el loco del pueblo,
de quien se dice: «Es Lucas,
Blas o Ginés, el tonto que tenemos.»
Seguimos. Olivares. Los olivos
están en flor. El carricoche lento,

al paso de dos pencos matalones,
camina hacia Peal. Campos ubérrimos.
La tierra da lo suyo; el sol trabaja;
el hombre es para el suelo:
genera, siembra y labra
y su fatiga unce la tierra al cielo.
Nosotros enturbiamos
la fuente de la vida, el sol primero,
con nuestros ojos tristes,
con nuestro amargo rezo,
con nuestra mano ociosa,
con nuestro pensamiento
—se engendra en el pecado,
se vive en el dolor. ¡Dios está lejos!—.
Esta piedad erguida
sobre este burgo sórdido, sobre este basurero,
esta casa de Dios, decid, ¡oh santos
cañones de von Kluck!, ¿qué guarda dentro?] (5).

Machado, al pasar por la ermita de Torreperogil, siente pena
y nostalgia de que aquella «casa de Dios» no tenga nada dentro,
sino que solo se presente a su fantasía como una «¡amurallada
piedad erguida en aquel basurero!». El hubiera deseado que la casa
de Dios fuera realmente casa del pueblo en el verdadero sentido de
la palabra; no, por el contrario, defensa amurallada contra ese
pueblo miserable que ronda un templo, convertido en fortaleza.

Por eso, él mismo se ve obligado a hacer una amarga oración
al «atrio de los gentiles»: en pleno campo, fuera del «sagrado»

_____

(5) *Campos de Castilla,* CXXXII (Los olivos), II.

recinto, el hombre trabaja y [su fatiga unce la tierra al cielo].
En esta oración extraeclesial, Machado se alza contra los recuerdos contemporáneos de la primera guerra mundial y se yergue contra el general von Kluck, el «conquistador» de Bélgica y del norte de Francia, lamentando amargamente que los templos albergaran en su seno la violencia de los cañones—de los «santos cañones»—en vez de la plácida creación del hombre andaluz pegado a su duro trabajo de cada día.

En una palabra, el trasfondo del poema machadiano lo podríamos resumir en esta simple frase: ¡ojalá las iglesias, los templos, las ermitas fueran casa de Dios y, *por tanto*, casas del pueblo!

De nuevo nos topamos con la profunda nostalgia de Machado frente a una Iglesia que él quisiera de otra manera muy distinta.

3. NO DESAPARICION, SINO CONVERSION

Este estado de ánimo es lógico que llevara a Machado a desear, no la desaparición de la Iglesia, sino su sincera conversión al Evangelio. Ahora bien: esta conversión evangélica de la Iglesia no interesa solamente a la misma Iglesia, sino a toda la sociedad española. En este sentido, Machado es perfectamente consciente de que el problema religioso—concretamente, cristiano—está vitalmente ligado al destino de la comunidad hispánica. Eso sí, habrá que buscar los buenos remedios.

A) Por un procedimiento homeopático...

Desde su decidida toma de partido por los valores cristianos y por la esperanza de la resurrección es normal que Antonio Machado planteara el problema del catolicismo español de una forma original en contraste con el universo maniqueo en el que vivió fatalmente. En 1913 escribía una carta a Unamuno, en la que. en forma genial y profética diseñaba en dos pinceladas un proyecto de revolución intraeclesial, que en nuestros días ha empezado a tomar cuerpo en el seno de nuestra comunidad católica hispana:

[Empiezo a creer que la cuestión religiosa solo preocupa en España a usted y a los que sentimos con usted. Ya oiría usted al doctor Simarro, hombre de gran talento y de gran cultura, felicitarse de que el sentimiento religioso estuviera muerto en España. Si esto es verdad, medrados estamos, porque ¿cómo vamos a sacudir el lazo de hierro de la Iglesia católica que nos asfixia? Esta Iglesia espiritualmente huera, pero de organización formidable, solo puede ceder al embate de un impulso realmente religioso. El clericalismo español solo puede indignar seriamente al que tenga un fondo cristiano. Todo lo demás es política y sectarismo, juego de izquierdas y derechas. La cuestión central es la religiosa y esta es la que tenemos que plantear de una vez... Hablar de una España católica es decir algo bastante vago. A las señoras puede parecerles de buen tono no disgustar al Santo Padre, y eso se puede llamar vaticanismo; y la religión del pueblo es un estado de superstición milagrera que no conocerán nunca esos pedantones incapaces de estudiar nada vivo. Es evidente que el Evangelio no vive en el alma española, al menos no se le ve por ninguna parte] (6).

Es decir, que Antonio Machado, reconociendo la vaciedad *espiritual* y *evangélica* del tinglado eclesial español de su tiempo, opina no que se le derribe desde fuera con una ligereza excesivamente

---

(6) *Complementarios...*, págs. 166 y sg.

alegre, sino que se le mine desde dentro, salvando sus valores cristianos allí encerrados o, mejor dicho, secuestrados por unos hombres mediocres, cerriles y muy alejados del auténtico Evangelio.

En otras palabras: la enfermedad del «nacionalcatolicismo», de la que padece la Iglesia española, solo podrá curarse con un tratamiento rigurosamente homeopático.

Hace tiempo que he solido decir que el anticlericalismo español, a partir sobre todo del siglo XVIII, ha intentado enterrar a Recaredo, creador del «nacionalcatolicismo», pero su error ha sido el de pretender hacer un entierro «por lo civil». Recaredo quedará definitivamente enterrado cuando se le haga un funeral *religioso* en el corazón mismo del catolicismo hispano: en la catedral de Toledo...

Y pienso que Machado, por creyente y por andaluz, estaría de acuerdo con este tratamiento homeopático...

B) ¿Moscú contra Roma?

Ya hemos visto el enorme aprecio que Machado profesa hacia el cristianismo ruso, tal como se transparenta a través de sus grandes clásicos, sobre todo Tolstoi y Dostoievski. Esto explica que para él resulte casi enigmático el triunfo del marxismo en esa Rusia cristiana y evangélica, y que este marxismo presente un rostro, no ya anticristiano, sino anti-teo. Sin embargo, sigue rumiando las antinomias del problema y se va diciendo a sí mismo los distintos avatares de su reflexión religiosa a este respecto.

En primer lugar, pretende no engañarse a sí mismo, sino, por el contrario, abrir los ojos y los oídos a la nueva y asombrosa realidad:

[Lo ruso, lo específicamente ruso, era la interpretación exacta del sentido fraterno del cristianismo, que es a su vez lo específicamente cristiano. «Moscú contra Roma» quería decir entonces muy otra cosa de lo que hoy significa. El ruso, genuinamente cristiano, creía en la fraternidad humana, emancipada de los vínculos de la sangre. El corazón del hombre era para él mónada fraterna, que por esencia no puede cantar sola, ni bastarse a sí misma, ni afirmarse sin afirmar a su prójimo. El espíritu romano era su antagonista. Sobre la mezcla híbrida de intelectualismo pagano y orgullo patricio erige Roma su baluarte contra el espíritu evangélico. Moscú era un alma; Roma, como siempre, un poder que había tomado del Cristo lo imprescindible para defenderse de él.

Hoy Rusia abandona los Evangelios, profesa a Carlos Marx y habla de un arte proletario. Con ello retrocede del Nuevo al Viejo Testamento. La visión profética de Carlos Marx es esencialmente mosaica; la prole de Adán repartiéndose los bienes de la Tierra. «¡Justicia para el gran rebaño de los hombres! No hay renuncia posible a acomodarse en el tiempo. Las virtudes castas que reveló el Cristo son enemigas de la especie. Sois esencialmente prole, y como tal habéis de afrontar vuestro destino.» La Rusia marxista ha sido una sorpresa para cuantos pensaban que el ruso empieza precisamente donde acaba el marxista, como empieza el cristiano donde acaba el sentimiento patriarcal de la Historia, el dominio del bíblico semental humano] (7).

Sin embargo, no vaya a creerse que aquí se pase por alto el hecho innegable de que también—y muy principalmente—en Rusia la Iglesia ha sido un fortísimo *instrumentum regni*. Machado habla más bien de dos tipos de visión cristiana:

[Roma contra Moscú, se dice hoy; yo diría mejor: Roma y Berlín, las dos fortalezas paganas, la germánica y la latina, del cristianismo occidental, contra el foco ruso del cristianismo auténtico. Pero Roma y Berlín—Berlín, sobre todo— militan contra Moscú desde hace mucho tiempo. En los momentos de mayor auge de la literatura rusa, profundamente cristiana, el semental humano de la Europa central lanza por la boca de Nietzsche su relincho de alarma, su terrible invectiva contra el Cristo vivo en el ánima rusa, su crítica corruptora y corrosiva de las virtudes específicamente cristianas. Bajo un disfraz romántico, a la alemana, aquel pobre borracho de darwinismo escupe sobre el Cristo vivo, sobre el ladrón de energías, sobre el enemigo—según él—del porvenir zoológico de la especie humana; toda una filosofía tejida de blasfemias y contradicciones. Nietzsche contra Tolstoi. ¿Por qué no decirlo en esta época de groseras simplificaciones a la manera teutónica?

Cuando en el 14 estalla la guerra, Berlín ataca a Moscú con la mitad de sus cuernos, y la habría atacado con todos los cuernos sin la obsesión de París, que le impedía la otra

_____
(7) *Complementarios...*, págs. 145 y sg.

mitad. Y es el Imperio de Pedro el Grande el que se derrumba; y se destroza la gran coraza que ahoga el pecho ruso. Moscú, considerada como el hogar simbólico del alma rusa, ha quedado intacta y libre.

Libre, en efecto, de su imperio y de su Iglesia, instrumentos de hierro que atenazan el corazón de Rusia. Fuerzas autóctonas, las de su Gran Revolución que estaba en gestación desde hacía mucho tiempo, colaboraron desde dentro con los cañones alemanes que atacaban desde fuera.

Pero volvamos a la Rusia actual, la Rusia soviética que dice profesar un puro marxismo. El fenómeno parece extraño. La Historia es una caja de sorpresas, cuando no es un ameno relato del pasado, o, como decía Varela, refiriéndose a la filosofía de la Historia, el arte de profetizar el pasado. Pero el hecho no es tan sorprendente como podríamos juzgarlo a primera vista. Es muy posible, casi seguro, que el alma rusa, en el fondo y en definitiva, no tenga demasiada simpatía por el dogma central del marxismo, que es una fe materialista, una creencia en el hambre como único y decisivo motor de la Historia. Pero el marxismo tiene para Rusia, como para todos los pueblos del mundo, un valor instrumental inestimable. El marxismo contiene las visiones más profundas y más ciertas de los problemas planteados por la economía de todos los pueblos occidentales. Nadie debe admirarse de que Rusia haya intentado utilizar el marxismo en su mayor pureza al experimentar la nueva forma de convivencia humana, de comunión cordial y fraterna, para afrontar todos los problemas de índole económica que necesariamente tenían que presentarse.

Mi tesis es esta: la Rusia actual, que a todos nos asombra, es marxista, pero es mucho más que el marxismo. Por esto, el marxismo, que ha superado todas las fronteras y está al alcance de todos los pueblos, solamente en Rusia parece hablar a nuestro corazón] (8).

Como vemos, Machado no se hace ilusiones con la Iglesia Ortodoxa rusa, que en su historia ha mostrado mucho mayor servilismo a los «poderes de este mundo» que la propia Iglesia Católica. Machado habla aquí como profeta y no logra expresar sus intuiciones: él no es marxista, ni mucho menos; sobre todo, en el sentido «dogmático» que en su época se iba perfilando en la Rusia staliniana; él no puede admitir el «dogma central» del marxismo (de «aquel marxismo»), según el cual [el hambre es el único y decisivo motor de la Historia].

Sin embargo, intuye que eso que se llama «marxismo» y cuyas dimensiones completas no acaba de alcanzar va en un sentido contrario a la ideología occidental—germano-latina—, simbolizada en Nietzsche: frente al «superhombre» de este último, el marxismo lucha por redescubrir el verdadero rostro humano de todos y cada uno de los componentes de nuestra raza.

Esta idea la había sintetizado ya por boca de Juan de Mairena:

[Roma es un poder del Occidente pragmático, un poder contra el Cristo, que tiene del Cristo lo bastante para defenderse de él. *Similia similibus curantur*. Entre Moscú, profun-

---

(8) *Discurso pronunciado a las Juventudes Socialistas Unificadas*, pronunciado en Valencia el 1 de mayo de 1937.

damente cristiano, y Roma, profundamente pagana, es Roma la que defiende al Cristo como quien defiende la ternera para su vacuna. Moscú, en cambio, se inyecta a Carlos Marx. Pero cuando triunfe Moscú, no lo dudéis, habrá triunfado el Cristo] (9).

Aquí Machado es muy duro en su juicio sobre el cristianismo romano. No obstante, hemos de reconocer que en sus grandes líneas pone el dedo en la llaga. Es un cristianismo *que toma de Cristo lo suficiente para defenderse de él*. Es la situación hipócrita: Cristo—piensa el Occidente pragmático—está tan presente en nuestra historia que es inútil erradicarlo; lo mejor sería integrarlo para poderlo manipular mejor. Fue la idea genial que inauguró Constantino. Por eso, todos los grandes conflictos que afligen a las Iglesias occidentales—sobre todo, la católica—giran siempre alrededor de las relaciones Iglesia-Estado. El Estado no se resigna a una autonomía «profético-litúrgica» de la Iglesia, y pretende controlar todos sus movimientos, sobre todo en el interior del santuario.

Machado reconoce—no sin pena—que de pronto haya desaparecido de la Rusia marxista aquel sentido cristiano y evangélico que predominaba en sus grandes clásicos literarios. Pero no se desalienta por ello: es la típica actitud de un creyente que se abre a una oscura posibilidad de aparición o desvelamiento de Dios en las zonas menos esperadas.

Y así piensa que las zonas trabajadas por el marxismo (a pesar de las «pegas» que él mismo le pone a este último) están más

---

(9) *Consejos, sentencias...*, XIII.º, XII.

dispuestas a una nueva siembra de la semilla evangélica. ¿Qué habría dicho don Antonio Machado Ruiz, «el bueno», si nos hubiera visto discutir apasionadamente a los católicos sobre la interdependencia cristianismo-marxismo? Sobre todo, aprobaría de plano algo que hoy empieza a ser común entre todos los comprometidos en esta problemática: que el marxismo es hoy por hoy uno de los grandes espacios desde donde Dios interpela a los que siguen—o pretenden seguir—llamándose cristianos. Por una paradoja de la Historia, la teología cristiana occidental se está renovando a base de transfusiones de marxismo, en mayor o menor grado. Moscú, desde su ateísmo militante, ha sido un estimulante mucho mayor para la renovación cristiana de nuestro Occidente que una Roma llena de símbolos cristianos y de atractivos litúrgicos.

En este sentido, habría que hacer una especie de psicoanálisis de los grandes movimientos teológicos que polarizan hoy día a los cristianos occidentales: todos ellos hacen referencia, en uno u otro sentido, a ese fenómeno irreversible del marxismo que empezó a realizarse—mal que bien—en aquel Moscú que Machado considera profundamente cristiano y evangélico. ¡A pesar de su confesado ateísmo militante!

4. LA IGLESIA FUTURIBLE

Tan fuerte es la nostalgia de Iglesia que padece Antonio Machado, que llega en varias ocasiones a imaginarse lo que hubiera sido la Iglesia—el cristianismo español—de no haber sido sofocado por lo que él llama el «legalismo», coincidiendo en la misma terminología paulina (10).

A) Una Iglesia que hubiera aceptado a sus místicos

El primer rasgo de la «Iglesia soñada» de Machado es la ilusión de que hubiera aceptado plenamente a sus místicos y no los hubiera ahogado o diluido en su engranaje burocrático:

[Evidente es también que nuestra mística fue un comienzo de reforma religiosa según el espíritu, y una fecunda y

---

(10) *Rom* 2, 27; 2, 9; 7, 6; 2 *Cor* 3, 67.

vitalísima corriente espiritual opuesta al letrismo inerte de los profesionales y del vulgo. Nuestra mística representa, a mi juicio, el gran momento introspectivo de la raza, en que llegó esta, por vía intuitiva, a expresar, aunque de un modo balbuciente, su yo fundamental. ¿Y adónde hubiera llegado esta reforma ahogada en germen por la Inquisición o malograda en sí misma, a no haber sido ahogada o malograda? Cabe imaginar—nada más inofensivo que este género de fantasías—un monumento filosófico erigido por los descendientes de aquellos místicos españoles, tan grande como el levantado por los nietos de Lutero en tierra tudesca, arrebatando la hegemonía intelectual a la raza latina. Pero nosotros ahogamos el ascua en la ceniza. Cuando cesó para la Iglesia todo peligro de reforma, el sentimiento religioso se asfixiaba, y con él toda virilidad espiritual. Hoy pensamos sacudir el peso bruto y abrumador de la Iglesia fosilizada, de esta religión espiritualmente huera, pero de formidable organización eclesiástica y policíaca, y nos jactamos al par de que el sentimiento religioso está muerto en España. Si esto fuera absolutamente cierto, medrados estábamos. Por fortuna, aún no estamos todos convencidos de ello. Leyendo las obras de Unamuno no es posible afirmar la incapacidad religiosa de nuestra raza. De algo más que de ese *vaticanismo* de las clases altas y de esa superstición milagrosa del pueblo que llamamos catolicismo—ignoro por qué razón—somos todavía capaces] (11).

Como vemos, para Machado la mística no es simplemente una

---

(11) Algunas consideraciones sobre libros recientes, en *La Lectura,* Madrid, 1914. *Antonio Machado. Antología de su prosa,* I. Ed. Cuadernos para el Diálogo, Madrid, 1970, pág. 143.

proyección del yo, sino el resultado de ese «circuito de la fe» que hemos estudiado; por eso habla de «vía intuitiva». O sea: que, reconociendo de antemano que Dios es el primero, el gran preguntador, se puede concebir, en una segunda fase, la respuesta del hombre—respuesta ineluctablemente *mística*—como una riqueza de lo mejor del hombre. Y así, a partir de esta riqueza de la respuesta mística, el pueblo español habría podido desarrollarse a sí mismo con mucha mayor riqueza humana en todos los sentidos.

Para Machado, la religión es todo lo contrario del «opio del pueblo»; es el estimulante de su propia promoción en todos los sentidos. Eso sí, tiene que tratarse de la verdadera religiosidad, no de ese «letrismo» con que una organización determinada ahoga de hecho los mejores frutos del Espíritu.

El reproche de Machado a la Iglesia española es muy duro, aunque fundamentalmente certero. Quizá él no pudo descubrir ese misterio del «espacio eclesial ambiguo», donde por fuerza tienen que coexistir el trigo y la cizaña hasta el último día de la Historia humana. El mismo es un testimonio de que en ese espacio eclesial no estaba todo sofocado, ya que su cercanía a él es lo que le ha proporcionado esa experiencia religiosa tan profunda. Aunque parezca paradójico, a Antonio Machado se le apareció Dios desde aquella Iglesia [fosilizada, de religión espiritualmente huera, pero de formidable organización eclesiástica y policíaca]. Su actitud periférica a esta Iglesia le dio la posibilidad sociológica de lanzar a la institución eclesial aquellos reproches proféticos, llenos de nostalgia de una Iglesia futurible, o sea como habría sido de haber seguido otro curso histórico.

B) Una Iglesia que no hubiera supeditado «religión» a «patria»

Otro de los rasgos fundamentales de esa «Iglesia futurible» debería ser la desacralización del patriotismo. Machado, para ello, parte de la experiencia francesa contemporánea, según la cual un cierto neocatolicismo de la nación vecina volvía a intentar el bautizo del patriotismo francés; patriotismo que, desde luego, no pasa de ser un simple «chauvinismo»:

> [Simpatizo profundamente con la aversión que profesa Unamuno, más que al jacobinismo anarquizante falto de toda espiritualidad, al no menos lamentable *conservadorismo* de esos neocatólicos franceses que pretenden representar hoy —o hace unos días—la *élite* de la intelectualidad francesa. «Me repugnan—dice—esos católicos volterianos y nacionalistas que defienden el catolicismo porque va ligado a las grandes figuras de la literatura francesa y, sobre todo, porque el protestantismo les parece germánico.» Este mismo *chauvinismo* es el que hoy pretende en Francia ejercer el monopolio del patriotismo y el que, refinado e intelectualizado, aparece en este flamante grupo de neocatólicos que intenta supeditar la idea de religión a la de .patria, ignorando que con tan simple· inversión de valores se enturbia, si es que no se ciega, la fuente del sentimiento religioso al par que del patriótico.

Como todo cuanto acontece en Francia se siente en España de un modo más o menos superficial, no faltan entre nosotros los que Unamuno llama católicos *volterianos*, que defienden una religión en la cual no creen, pretextando razones de utilidad política, social y hasta—¡aquí entra lo grotesco!—vital, como si desde el punto de vista pragmatista nuestro catolicismo, que es pura y simplemente *vaticanismo* y sacrificio de la vitalidad española a la momia romana, no fuese lo más indicado para arrojarse a la banasta de los trapos inservibles. Pero esta clase de pedantería no alcanzará en España, por fortuna, las proporciones que entre nuestros vecinos. Nuestra ferocidad de guante blanco no aspira al decoro intelectual, lo fía todo de la Guardia Civil, tiene la franqueza de la brutalidad y, en el fondo, es menos repugnante que la francesa] (12).

Así escribía Machado en 1913. Y ya por aquella misma fecha reflexionaba apasionadamente sobre el fenómeno de las «dos Españas», subrayando, como veremos, la trágica partición de ambas en zona religiosa y en zona profana: ¿por qué esa frontera absurda?

Empieza por la afirmación escueta:

[Ya hay un español que quiere
vivir y a vivir empieza,
entre una España que muere
y otra España que bosteza.
Españolito que vienes
al mundo, te guarde Dios.
Una de las dos Españas
ha de helarte el corazón] (13).

———————

(12) *Antonio Machado. Antología de su prosa*, I. Ed. Cuadernos para el Diálogo, Madrid, 1970, págs. 138-41.

(13) *Campos de Castilla*, CXXXVI (Proverbios y cantares), LIII.

Por la misma fecha Machado describía amargamente a una de las dos Españas—la oficialmente religiosa—con unas duras pince-ladas, que demostraban su rabia ante el fenómeno—casi inexora-ble—de que los valores cristianos estuvieran indebidamente se-cuestrados por aquella «España»:

[La España de charanga y pandereta,
cerrado y sacristía,
devota de Frascuelo y de María,
de espíritu burlón y de alma quieta,
ha de tener su mármol y su día,
su infalible mañana y su poeta.

....

Esa España inferior que ora y bosteza,
vieja y tahúr, zaragatera y triste;
esa España inferior que ora y embiste,
cuando se digna usar de la cabeza,
aún tendrá luengo parto de varones
amantes de sagradas tradiciones
y de sagradas formas y maneras;
florecerán las barbas apostólicas,
y otras calvas en otras calaveras
brillarán, venerables y católicas] (14).

Sin embargo, Machado, que está situado en la «otra España», no se resigna a esta repartición maniquea de los valores religiosos, y reivindica para *su* España un amanecer de fe cristiana, tal como él la siente y la expresa constantemente sin el menor empacho:

---

(14) *Campos de Castilla*, CXXXV (El mañana efímero).

[Desde un pueblo que ayuna y se divierte,
ora y eructa, desde un pueblo impío
que juega al mus, de espaldas a la muerte,
creo en la libertad y en la esperanza,
y en una fe que nace
cuando se busca a Dios y no se alcanza,
y en el Dios que se lleva y que se hace] (15).

Para *su* España Machado reivindica el «Dios completamente Otro», el «Dios que se busca y que no se alcanza nunca», el Dios del futuro, el que va siempre viniendo.

Finalmente, en plena guerra civil Antonio Machado descubre con pavor que las dos Españas se perfilan en zonas geográficas, marcadas por las armas mortíferas del odio fraterno:

[La guerra dio al amor el tajo fuerte.
Y es total la angustia de la muerte,
con la sombra infecunda de la llama
y la soñada miel de amor tardío,
y la flor imposible de la rama
que ha sentido del hacha el corte frío.
Trazó una odiosa mano, España mía
—ancha lira, hacia el mar, entre dos mares—,
zonas de guerra, crestas militares,
en llano, loma, alcor y serranía.
Manes del odio y de la cobardía
cortan la leña de tus encinares,
pisan la baya de oro en tus lagares,
muelen el grano que tu suelo cría.

---

(15) *Elogios*, CXLIII.

Otra vez—¡otra vez!—, ¡oh triste España!,
cuanto se anega en viento y mar se baña,
juguete de traición, cuanto se encierra
en los templos de Dios mancha el olvido,
cuanto acrisola el seno de la tierra
se ofrece a la ambición, ¡todo vendido!] (16).

Ya aquí, como vemos, alude a la dimensión religiosa de la terrible partición de España. Pero, bajo la indudable inspiración de su vivencia cristiana, deja, al mismo tiempo, desfogar su casi imposible esperanza en este maravilloso soneto, titulado «La primavera», donde sueña con una primavera de toda España más allá y por encima de aquella lúgubre coyuntura:

[Más fuerte que la guerra—espanto y grima—
cuando con torpe vuelo de avutarda
el ominoso trimotor se encima
y sobre el vano techo se retarda.

   hoy tu alegre zalema el campo anima,
tu claro verde el chopo en yemas guarda.
Fundida irá la nieve de la cima
al hielo rojo de la tierra parda.

   Mientras retumba el monte, el mar humea,
da la sirena el lúgubre alarido,
y en el azul el avión platea,

_____

(16) *Poesías de la guerra (1936-1939)*, en Oreste Macrì: *Poesie di Antonio Machado*. Ed. Lerici, Milán, 1961, págs. 1102-106.

174

¡cuán agudo se filtra hasta mi oído,
niña inmortal, infatigable dea,
el agrio son de tu rabel florido!] (17).

Machado murió, como tantos profetas, sin vislumbrar la tierra prometida. En este caso, no pudo ver cómo posteriormente el fenómeno auténticamente religioso empezaría a dejar de ser patrimonio exclusivo de la «España que bosteza» e iría cuajando en la España lúcida con la que siempre soñó.

C) Una Iglesia que impartiera una auténtica enseñanza religiosa

Finalmente, Antonio Machado da en el *quid* de la cuestión: en el seno del catolicismo español había un gran vacío de enseñanza *religiosa*. En su lugar se impartía una mala escolástica fosilizada, expresada en un lenguaje extraño y, en el mejor de los casos, arcaico, y totalmente desconectada dialogalmente de la cultura profana de la sociedad ambiente:

[De la enseñanza religiosa decía mi maestro: «La verdad es que no la veo por ninguna parte.» Y ya hay quien habla de sustituirla por otra. ¡Es lo que me quedaba por oír!

—Conviene estar de vuelta de todo.
—¿Sin haber ido a ninguna parte?
—Esa es la gracia, amigo mío] (18).

---

(17) *Ibíd.*, pág. 1098.

(18) *Juan de Mairena...*, XLVII.

La ironía de Machado es una de sus más fuertes maneras de reprochar. En efecto, mal se podría «estar de vuelta de todo» en un ambiente como el del catolicismo español de la época, cerrado a cal y canto contra toda nueva y peligrosa forma de cultura *profana*. Afortunadamente, en los últimos años se han dado unos saltos inverosímiles hasta tal punto de que temas auténticamente *religiosos* empiecen a interesar e incluso a apasionar a tantos ex católicos que abandonaron silenciosamente su Iglesia y pretendieron, en un primer momento, quitarse de encima recuerdos que ellos estimaban—y quizá lo eran muchas veces—realmente traumatizantes.

Como es lógico, en este problema de la enseñanza religiosa Machado no deja de dar un toque de atención hacia los «herejes» declarados como tales por el vértice de un catolicismo cerril e inculto:

> [Decía Juan de Mairena que algún día tendríamos que consagrar España al Arcángel San Miguel, tantos eran ya sus Migueles ilustres y representativos: Miguel Servet, Miguel de Molinos, Miguel de Cervantes y Miguel de Unamuno. Parecerá un poco arbitrario definir a España como la tierra de los cuatro Migueles. Sin embargo, mucho más arbitrario es definir a España, como vulgarmente se hace, descartando a tres de ellos, por heterodoxos, y sin conocer a ninguno de los cuatro] (19).

Antonio Machado tiene toda la razón: ¿cómo juzgar a los «otros» sin conocerlos previamente a fondo?

---

(19) *Consejos, sentencias...*, III.º (Los cuatro Migueles).

176

Quizá este sea uno de los pecados que el catolicismo español ha podido cometer frente a la figura grandiosa de ese gran creyente cristiano y admirable profeta que fue don Antonio Machado Ruiz «el bueno».

Este modesto ensayo pretende pagar, aunque sea mínimamente, esa vieja deuda. Esto es lo que he intentado hacer desde nuestra común afiliación a esta Sevilla que nos vio nacer y desde nuestra—también común—fe en ese Dios gratuito que aparece totalmente en el Cristo resucitado, que siempre seguirá siendo objeto de búsqueda y que jamás—¡por fortuna!—podrá *ser encontrado* por el sacrílego deseo de poseer a Dios totalmente y de una vez para siempre.

¡Ah! Y que ninguno de «los de dentro» se escandalice. Solamente he querido seguir la indicación del propio Cristo, según se nos narra en el más antiguo de los relatos evangélicos: «Juan le dijo: "Maestro, hemos visto a un tipo que en tu nombre echaba demonios, y hemos intentado impedírselo porque no es de nuestro grupo." Jesús respondió: "No se lo impidáis, pues es imposible que alguien haga algo positivo en mi nombre y que al mismo tiempo hable mal de mí. Pues el que no está contra nuestro grupo está a favor de nuestro grupo"» (20).

Para mí... que Antonio Machado no estaba de ninguna manera contra el «grupo» al que pertenezco entrañablemente: ¿por qué entonces no dejarle que ejerza el poder de su fe y de su actitud profética en esta «tercera España»—más allá de las otras dos— que entre todos queremos crear y engendrar entre miles de fatigas y de ilusiones?

---

(20) *Mc* 9, 38-40.

RESUMEN

Antonio Machado se planta frente al fenómeno histórico «Iglesia» y toma sencillamente estas actitudes:

1) Constata que la «generación del 98» es la primera que «no sestea ya a la sombra de la Iglesia», o sea descubre una ruptura socio-histórica en el viejo «nacionalcatolicismo».

2) Sin embargo, no oculta su nostalgia por la propia institución eclesial, a cuyo lado pasa y que a veces juzga de una manera muy positiva en los aspectos más entrañables de ella como es la vida religiosa.

3) No desea la desaparición de la Iglesia, sino su conversión. Pero esta conversión se producirá desde dentro—por procedimientos rigurosamente homeopáticos—, no a fuerza de golpes de un torpe anticlericalismo, que a la larga terminará reforzando la vieja realidad eclesial. En este sentido, el marxismo ruso, a pesar de su indudable actitud atea, será una máxima interpelación al cristianismo en orden a un redescubrimiento del Evangelio.

4) Finalmente, Machado sueña con una Iglesia tal como él la hubiera querido, o sea:

a) que hubiera aceptado a sus grandes místicos, en vez de sofocarlos;

b) que no hubiera supeditado «religión» a «patria»;

c) que hubiera ofrecido una auténtica enseñanza *religiosa*.

COLECCION NUEVAS FRONTERAS

Gustave Thils
¿**Cristianismo sin religión?**

Anselmo Donázar
La rebelión del sentido

Kurt Samuelsson
Religión y economía

Raimundo Panikkar
El Cristo desconocido del hinduismo

Josep Dalmau
La Iglesia subterránea o la misa secularizada

Stanley Windass
El cristianismo frente a la violencia

Helmut Gollwitzer
Crítica marxista de la religión

Friedrich Gogarten
Destino y esperanzas del mundo moderno

Joan Llopis
La inútil liturgia

Thomas J. J. Altizer
Mircea Eliade y la dialéctica de lo sagrado

Gabriel Vahanian
Ningún otro Dios

Josep M. Piñol
Iglesia y liberación en América Latina

Renaud Dulong
Una Iglesia en crisis